La Iniquidad

Dra. Ana Méndez Ferrell

ANA MÉNDEZ FERRELL INC.

LA INIQUIDAD

Dra. Ana Méndez Ferrell

ANA MÉNDEZ FERRELL INC.

La Iniquidad 2011
9ª Impresión revisada y aumentada.
© Ana Méndez Ferrell Inc.

Todas las referencias bíblicas han sido extraídas de la traducción Reina Valera, Revisión 1960.

Categoría: Liberación

Publicado por: Ana Méndez Ferrell Inc.
                      P. O. Box 141
                      Ponte Vedra, Florida, 32004-0141
                      Estados Unidos

Impresión: Editorial Buena Semilla, Bogotá - Colombia

www.AnaMendezFerrell.com

ISBN 13: 978-1-933163-26-0

DEDICATORIA

Dedico este libro a mi amado Padre celestial, a Jesucristo mi redentor y al Espíritu Santo. Y a mis amadas hermanas, mi gemela Mercedes Méndez y Cecilia Pezet junto con mis sobrinos Santiago y Pablo.

Indice

Introducción

Una gran inquietud ha cargado mi alma al ver a miles y cientos de miles de cristianos sufriendo dolores intensos, desiertos interminables, enfermedades de las que no pueden sanar y maldiciones irrevocables.

Esto me llevó a buscar intensamente el rostro de Dios, para encontrar una solución que pudiera satisfacer tantas preguntas que parecían no tener respuesta.

Durante muchos años Dios me ha levantado como pionera en varias áreas. Una de ellas es la guerra espiritual a nivel de liberación personal, así como también a nivel territorial. El incurrir en estos terrenos y enfrentar a terribles poderes de las tinieblas, me llevó a entender que necesitaba comprender en una forma profunda la justicia de Dios. Lo único que destruye el poder del diablo, es la justicia que fue manifestada en la cruz del calvario y que es mucho más grandiosa que la sencilla justificación por gracia que se predica en las iglesias.

Dios quiere llevarnos a través de estas líneas a sondear varios de los tesoros más maravillosos escondidos en Cristo Jesús, y de esta manera entrar a una vida en plenitud alcanzable solo a través de las profundidades del misterio de la cruz. Además, Dios quiere que entendamos uno de los mayores obstáculos que nos impide poseer las riquezas de su gloria: "la iniquidad".

El desconocimiento de este tema nos mantiene atados a fracasos y maldiciones de las que no podemos salir. Sin embargo, a través de este libro, descubrirás cómo ser libre.

Dios en su palabra hace una tremenda distinción, entre pecado e iniquidad. La iglesia en alguna medida trata el tema del pecado, pero prácticamente nadie toca la terrible problemática de la iniquidad. La gran mayoría de los cristianos aún desconocen lo que es, y por esa causa no saben ni pueden ser libres de ella.

Sin embargo es uno de los temas de mayor relevancia en la Biblia, ignorarlo y no comprenderlo es la mayor fuente de fracaso, de opresión, de derrota al que se enfrenta el pueblo de Dios.

¿Qué es la Iniquidad?

Etimológicamente esta palabra quiere decir "lo torcido". De hecho es lo que se tuerce del camino recto y perfecto de Dios. El origen de la iniquidad se encuentra en la caída de Luzbel. Surge en el momento en que este arcángel lleno de belleza y perfección da cabida a un pensamiento que se desalinea de Dios. Y empieza a creer en algo diferente y opuesto a la Justicia Divina.

Ahora bien de la misma manera en que la fe es "la sustancia de lo que se cree", es decir, el poder que activa el mundo invisible de los cielos, este pensamiento torcido dentro del corazón del arcángel también produce una sustancia espiritual, que origina la maldad.

"Perfecto eras en todos tus caminos desde el día en que fuiste creado, hasta que se halló en ti maldad". Y luego dice: "Con la multitud de tus maldades y con la iniquidad de tus contrataciones profanaste tu santuario..."

Ezequiel 28:15 y 18

Estas dos palabras que muchas veces se usan al azar, son determinantes para entender la raíz de la gran mayoría de los problemas que nos aquejan.

La maldad es la semilla diabólica que origina todo mal. Se transmite al hombre desde su nacimiento y se impregna en el corazón con pensamientos e intenciones opuestas a la justicia, a la verdad, al amor y a todo lo que es Dios. La iniquidad es la suma de todos estos pensamientos torcidos, o la suma maldad del hombre.

La iniquidad se impregna en el espíritu del ser humano en el instante de la concepción del embrión. Es en este momento que toda información, o herencia espiritual de maldad es establecida.

Podemos definir la iniquidad como un cordón espiritual, que graba todos los pecados del hombre y que es la herencia para las siguientes generaciones. A través de este cordón, se esculpe todo el legado torcido y pecaminoso, que le entregará un hombre a sus hijos. Estos a su vez, lo torcerán aún más con sus propios pecados, y lo entregarán como una estafeta de maldición a la subsiguiente generación.

"El pecado de Judá está escrito con cincel de hierro y con punta de diamante, esculpido está en la tabla de su cora zón..."   *Jeremías 17:1*

La iniquidad es lo que la Biblia llama el cuerpo de pecado. Al avanzar en estas líneas veremos cómo la iniquidad forma parte del cuerpo espiritual dentro del hombre y cómo afecta su comportamiento, la estructura de sus pensamientos y aún el estado de salud del cuerpo físico.

El cuerpo de pecado se origina en el espíritu e invade el alma y el cuerpo como un lodo que lo ensucia todo.

La iniquidad está intrínsecamente ligada al mundo espiritual de las tinieblas y es ahí en donde el diablo engarza las maldiciones que vienen de nuestros antepasados. Es en esta misma área donde se arraigan las bases legales de enfermedad que se transfieren de padres a hijos y de hijos a nietos. Es aquí también, donde se encuentra la legalidad de satanás para robarnos y oprimirnos. Este será, además, un constante obstáculo para recibir la plenitud de las bendiciones de Dios.

Esta es la principal puerta que tiene el imperio del diablo sobre la vida del ser humano, creyente o incrédulo. Es a través de la iniquidad que el maligno permea el corazón del hombre, para poner en él todo tipo de deseos perversos y pecaminosos. A esto se le llama concupiscencia. La herencia de pecado ha sido trasmitida y ahora va a corromper el alma para que ésta empiece a desear hacer el mal. Será una fuerza irresistible en muchos casos que arrastrará a personas aparentemente buenas a cometer pecados abominables.

Es por eso que, llegada cierta edad, los hijos de alcohólicos empiezan a tener un deseo incontrolable por beber. A veces son hijos de cristianos o de pastores que sin razón alguna desarrollan estas inclinaciones pecaminosas. La razón de esto es que no se ha tratado con la iniquidad.

"Sino que cada uno es tentado cuando en su propia concupiscencia es atraído y seducido. Entonces la concupiscencia después que ha concebido, da a luz el pecado, y el pecado siendo consumado da a luz la muerte". Santiago 1:14 y 15

No sólo el diablo interfiere en la vida del hombre a través de la iniquidad, sino que es donde los juicios de Dios se van a manifestar constantemente. La iniquidad se opone a la justicia divina, por estar torcida de ella, esto ocasionará un continuo choque con la rectitud de Dios.

La justicia tiene como parte de su esencia el juzgar todo lo que se opone a ella. El propósito de los juicios de Dios es alinear todas las cosas con su voluntad y justicia. Por lo tanto, donde hay caminos torcidos habrá una continua acción divina, alineando a la persona con el Padre. Este alineamiento se manifiesta en juicios, pruebas, tribulaciones, desiertos, etc.

"...Porque yo soy Jehová tu Dios, que visita la iniquidad de los padres sobre los hijos hasta la tercera y cuarta generación de los que me aborrecen..." Éxodo 20:5

Note que no le está hablando a los impíos sino a su pueblo. Dios no está visitando el pecado, sino la iniquidad. El pecado es tan solo el fruto de la iniquidad, es la parte superficial y visible de algo que está profundamente arraigado en el ser humano. El pecado son las ramas, lo exterior de un gran árbol que viene creciendo y robusteciéndose de generación en generación. La iniquidad es la verdadera raíz de donde surge todo el mal en nosotros y es ahí donde debemos echar el hacha.

La gran mayoría de los creyentes confiesan sus pecados a Dios, pero jamás le han pedido que borre sus iniquidades. Por esta causa siguen padeciendo la consecuencia de terribles maldiciones financieras, o de enfermedades familiares incurables, destrucción familiar, divorcios, accidentes y tragedias que no deberían ocurrir estando bajo la protección de un Dios Todopoderoso.

Dios hace diferencia entre la Iniquidad y el Pecado

Como dije anteriormente, no es lo mismo el fruto que la raíz, ni tampoco el origen y lo que se da a luz. Dios no sólo vino a vencer el pecado en nuestras vidas, sino también a deshacer todas las obras del diablo.Cuando Moisés esta clamando a Dios por ver su gloria, el Señor se manifiesta a él y le dice:

"...¡Jehová, Jehová! Fuerte, misericordioso y piadoso, tardo para la ira y grande en misericordia y verdad, que guarda misericordia a millares, que perdona la iniquidad, la rebelión y el pecado, y que de ningún modo tendrá por inocente al malvado..."   *Éxodo 34:6 y 7*

Un principio que tenemos que entender y que es una gran fuente de liberación en nuestras vidas es que Dios no trata con el mal en forma genérica. Él es tremendamente específico y es también así como nosotros tenemos que responder en contra de todo el reino de las tinieblas.

Una de las tremendas tragedias que yo veo en el Cuerpo de Cristo, es que la mayoría de la gente se conforma con oraciones generales y simples. Algo así como: "Señor perdona todos mi pecados" o "Señor cualquier cosa que yo haya hecho en el pasado, perdóname" o quizás "Señor te pido perdón por todo pecado en el área sexual". Aunque Dios oye la intención de nuestro corazón y nos perdona en cuanto a nuestra salvación eterna. Las bases legales que operan en contra nuestra no son vencidas con oraciones genéricas.

Dios quiere que escudriñemos nuestros corazones, que entendamos la maldad y sus consecuencias en la misma dimensión en que Él las entiende. Él quiere que el diablo no tenga ni la menor cosa con que atacarnos. Jesús murió por nuestra total libertad y cada parte de la cruz y de su pasión está relacionada con diversas áreas en que Dios pagó el precio por nosotros, para que entráramos a una total plenitud con Él. No sólo fue conquistado el perdón de nuestros pecados, sino que la cruz, representó una obra integral en la cual fue redimida cada parte de nuestro espíritu, de nuestra alma y de nuestro cuerpo.

"Ciertamente llevó él nuestras enfermedades, y sufrió nuestros dolores..." "Mas él herido fue por nuestras rebeliones, molido por nuestras iniquidades, el castigo de nuestra paz fue sobre él, y por su llaga fuimos nosotros

*sanados". "Con todo eso Jehová quiso quebrantarlo,
sujetándole a padecimiento. Cuanto haya puesto su vida
en expiación por el pecado, verá linaje, vivirá por largos
días, y la voluntad de Dios será en su mano prosperada.
Verá el fruto de la aflicción de su espíritu, y quedará
satisfecho; por su conocimiento justificará mi siervo
justo a muchos, y llevará las iniquidades de ellos".*

Isaías 53: 4, 5 y 10, 11

En este pasaje de Isaías vemos cómo la cruz abarca
una serie de conceptos de los que debemos ser
liberados y redimidos. Una gran parte del Cuerpo de
Cristo se limita a recibir la salvación de sus pecados,
pero viven vidas llenas de enfermedades, de dolores
emocionales y físicos. Están atrapados en cárceles
del alma y del espíritu, y sobre todo, sufriendo el
continuo padecimiento de llevar a cuestas su
iniquidad. Jesús hizo una obra completa para que
viviéramos una vida de plenitud con Él.

Sin embargo, si no entendemos cómo estamos
conformados, espiritual, anímica, y corporalmente y
cómo la victoria de la cruz se aplica a cada una de
estas áreas; nunca veremos su total triunfo en
nuestras vidas.

En la ceremonia de expiación en el Antiguo
Testamento, vemos claramente cómo Dios hace
diferencia entre iniquidad y pecado. Esta no es otra

cosa que la sombra y figura de lo que Jesús haría en el calvario.

"Y pondrá Aarón sus dos manos sobre la cabeza del macho cabrío vivo, y confesará sobre él todas las iniquidades de los hijos de Israel, todas sus rebeliones y todos sus pecados, poniéndolos así en la cabeza de macho cabrío, y lo enviará al desierto, por mano de un hombre destinado para esto".   Levítico 16:21

Una vez más, vemos a un Dios específico, limpiando a su pueblo por la confesión detallada de estas tres formas corruptas del ser humano.

Tipos de Iniquidad

Iniquidad Voluntaria:

Esta es la práctica del mal en forma voluntaria, con todo conocimiento de causa y deseo de hacerlo.

Iniquidad Consciente:

Esta es la maldad consciente que está en operación, produciendo una lucha interna que conlleva a caer en pecado o a practicarlo. Es la raíz de los pecados que hemos cometido alguna vez en la vida y que todavía nos tientan.

En ocasiones el creyente busca seguir a Dios con todo su corazón, pero hay un estorbo del cual es consciente y no sabe cómo luchar en contra de él. En el mejor de los casos lo suprime pero sabe que puede ser un problema en el futuro.

Iniquidad Inconsciente:

Hay iniquidad que viene de nuestras generaciones pasadas, que está latente dentro de nuestra herencia espiritual pero que no es fácil de detectar. Este tipo de iniquidad es una bomba de tiempo que tarde o temprano puede causar una caída repentina o algún tipo de calamidad. Por eso vemos a siervos de Dios que empezaron sus ministerios con gran amor al Señor y de pronto los vemos involucrados en indecibles pecados.

La iniquidad inconsciente puede ser la causa de muchos problemas, enfermedades o males que vienen a la vida de una persona, atribuidos –en muchos casos– a ataques del diablo o a causas inexplicables.

Para detectarla es importante analizar –si es posible– en qué pecados y situaciones se vieron involucrados nuestros ancestros. También es recomendable poner atención a los sueños y ver de qué forma la cultura en la que fuimos formados está arraigada en nuestra vida.

1.-La Iniquidad, es parte del espíritu del hombre

A.-El hombre es espíritu, alma y cuerpo

El ser humano es una maquinaria viva, impresionantemente compleja y maravillosa a la vez. Basta con analizar todos los sistemas y órganos que componen nuestro cuerpo, para darnos cuenta de lo detallada y asombrosa obra de Dios en nosotros.

De las tres partes que componen nuestro ser: espíritu, alma y cuerpo, la más fácil de entender es el cuerpo, por cuanto es visible y tangible. Sin embargo, la ciencia ha tomado cientos de años para lograr descifrarlo y entenderlo y aún quedan misterios por resolver.

El hombre sólo se puede entender de manera integral, esto es combinando los tres aspectos que lo componen. El ignorar uno de ellos es necesariamente caer en un error y por eso la ciencia no puede atar los cabos que unen al cuerpo y al espíritu, por cuanto lo desconocen totalmente. El cuerpo como bien sabemos está formado por un sinnúmero de componentes que lo hacen funcionar correctamente.

De la misma manera el alma y el espíritu son cuerpos intangibles altamente complejos que debemos conocer para caminar en la victoria que Cristo consumó para nosotros. Muchos de los fracasos de millones de cristianos se deben al escaso conocimiento de estas dos partes fundamentales de nuestro ser.

En algunas teologías se dice que alma está compuesta de la mente, las emociones y la voluntad. El espíritu de la comunión, la intuición y la conciencia. Tanto una como otra, no son más que dos enormes bloques prácticamente desconocidos que la gran mayoría decide ignorar su profundidad para no complicarse. Desgraciadamente esta actitud es la que mantiene a millones de personas atadas a desiertos y tribulaciones sin encontrar una salida.

Otros, un poco más versados en la investigación de estas áreas y tratando de darle una explicación a la opresión demoníaca en los creyentes, han comparado al hombre tripartito con el tabernáculo de Moisés. Ellos aluden a que el cuerpo es como los atrios del templo, el alma es como el "Lugar Santo" y el espíritu como "El Lugar Santísimo" donde moraba la presencia de Dios en el Arca del Pacto.

De esta manera explican que un cristiano puede ser atacado u oprimido por demonios en su cuerpo, de la misma manera en que gente de todo tipo entraba a los atrios del templo. Así también se explican los espíritus de enfermedad que operan afligiendo cuerpos físicos.

Ellos argumentan que el alma siendo como el "Lugar Santo", en el que entraban los levitas y sacerdotes, también tiene acceso demoníaco de espíritus que afligen el alma como espíritus de temor, de depresión, de ira, etc. Agregan que el espíritu del hombre sólo puede ser poseído por Dios o por el diablo y que no hay mezclas. Una vez sellado en su espíritu por el Espíritu de la Promesa, el espíritu se vuelve absolutamente puro y el problema sólo radicará a partir de este momento en el alma y en el cuerpo.

Si bien comparto esta teología con mis hermanos doctores en liberación, creo que Dios nos está llevando a una investigación profunda de las áreas del espíritu que no habían sido reveladas en estos últimos siglos; y que si se hizo, la enseñanza no fue popularmente propagada.

Considerar al espíritu en sólo tres grandes partes: comunión, intuición y conciencia, es lo mismo que pensar que el cuerpo humano es sólo cabeza, tronco y extremidades.

Pablo menciona en su primera carta a los Corintios que hay un cuerpo animal y un cuerpo espiritual (1 Corintios 15:44). Tanto el uno como el otro están formados de una complejidad de órganos y de sistemas que lo conectan entre sí y le permiten funcionar cada uno en la dimensión correspondiente. El cuerpo físico en el mundo material y el espiritual en el ámbito del espíritu. No obstante, ambos están unidos entre sí.

Entender esto me hace diferir con la idea de que el espíritu sea perfectamente puro por el hecho de que Dios lo habite. Permítame citar algunos textos de la Biblia referentes a este punto:

"Así que amados, puesto que tenemos tales promesas, limpiémonos de toda contaminación de carne y de espíritu, perfeccionando la santidad en el temor de Dios".   *2 Corintios 7:1*

"Y el mismo Dios de paz os santifique por completo; y todo vuestro ser, espíritu, alma y cuerpo, sea guardado irreprensible para la venida de nuestro Señor Jesucristo".
1 Tesalonicenses 5:23

Aquí vemos que hay una contaminación espiritual de la que tenemos que limpiarnos. Dios quiere operar en una santificación de las tres partes de nuestro ser.

Sin tratar de hacer un estudio exhaustivo de lo que es el espíritu -lo que tomaría un libro entero-, veamos cómo está conformado nuestro espíritu y cuáles son sus algunas de sus diferentes partes:

B.- Algunos de los componentes del Espíritu

- La Comunión

Esta es la parte de nuestro espíritu que está unida a Dios a través de la simiente de su hijo, implantada en nosotros y que determina si un espíritu vive o está muerto con relación a Dios.

Este es uno de los componentes donde **se escucha con claridad su voz y donde se manifiesta esa intimidad gloriosa** en la que sentimos esa unidad con el Espíritu Santo. En esta área se establece el Señorío de Cristo, el cual dirige y gobierna nuestras vidas. Es aquí también donde vienen muchas de las visiones y revelaciones del Espíritu de Dios. Y donde el Señor se manifiesta en forma visible a aquellos que le aman y han desarrollado una vida en el Espíritu.

La comunión es la parte central del cuerpo espiritual, en el que se establece el "Lugar Santísimo" de nuestro templo. Cuando una persona no ha venido a Cristo, esta área está en posesión del príncipe de las tinieblas. Esto es lo que dice la palabra al respecto:

"...Para que abras sus ojos (de los inconversos), para que se conviertan de las tinieblas a la luz, y de la potestad de Satanás a Dios..."   *Hechos 26:18*

En esta área convergen los cielos y la tierra haciéndose una misma cosa en Cristo Jesús, estableciendo el Reino de Dios en medio de nosotros. A través de la comunión podemos ver y penetrar el mundo espiritual y los tesoros escondidos de Dios. Aquí se puede experimentar, además, su gloria para ser así transformados a su imagen.

Es en esta zona es engendrado –por la vida de Dios– nuestro espíritu para luego dar lugar al nuevo nacimiento. Aquí es donde radica la nueva creación en Cristo Jesús y la regeneración en la que somos vivificados por el Espíritu de resurrección.

La comunión está conectada a las otras partes de nuestro espíritu y funciona como el área gobernante de nuestro ser espiritual. Es por decirlo de alguna manera el corazón o parte medular del hombre interior. La comunión es también la parte que comunica el espíritu del hombre con su alma. Específicamente con su corazón o depósito de sus emociones y de su carácter.

La Biblia dice: *"Guardad vuestro corazón, sobre toda cosa guardada, porque de él mana la vida"*.   *Proverbios 4:23*

– La Intuición

Aunque esta palabra no es bíblica, es reconocida por el diccionario y por algunos teólogos como parte del espíritu.

La intuición **es la antena que conecta el mundo natural con el espiritual**. Es lo que nos hace sentir en un momento dado la presencia de un demonio, o de un ángel, o de un espíritu humano. Es lo que nos alerta cuando sentimos que alguien nos observa o que somos perseguidos. La intuición es como un radar que detecta el mundo espiritual y que nos permite saber si algo es de una u otra manera sin una razón lógica. Un ejemplo de esto, es cuando sentimos el fuerte sentimiento de que alguien nos llamará por teléfono con la respuesta de algo que necesitamos. O saber que un ser querido distante se encuentra bien, o al contrario, que algo malo le ha sucedido.

Muchas veces en el ministerio cuando organizamos un evento sé –en forma sobrenatural– que algo se está atorando en el mundo espiritual. Es mi espíritu detectando lo que está sucediendo en el ámbito invisible y esto me hace doblar las rodillas y orar para saber qué es lo que está sucediendo.

A veces ocurre que sabemos el resultado de una entrevista, antes de que suceda. O detectamos que alguien tiene la intención de traicionarnos. Quizás las palabras y los hechos de esa persona tienen la apariencia de buenos, pero algo en el espíritu nos previene.

A través de la intuición también recibimos **revelación de parte de Dios**. Muchas de las palabras proféticas, provienen de la habilidad de esta parte de nuestro espíritu para recibir información acerca de la persona. Aquí se manifiestan los dones de Palabra de ciencia, profecía y palabra de sabiduría.

– La Conciencia

Esta es la parte de nuestro espíritu donde **radica el temor de Dios y la sabiduría de Dios**. Es la forma en que nuestro ser obtiene el conocimiento del bien y del mal, sin nunca haber leído la Biblia.

"Porque cuando los gentiles que no tienen ley, hacen por naturaleza lo que es de la ley, estos aunque no tengan ley, son ley para sí mismos, mostrando la obra de la ley escrita en sus corazones, dando testimonio su conciencia, y acusándoles o defendiéndoles sus razonamientos, en el día en que Dios juzgará por Jesucristo los secretos de los hombres conforme a mi evangelio".

Romanos 2:14-16

La conciencia al igual que la comunión y otras

partes del espíritu, está íntimamente ligada al corazón del hombre. Es por eso que los razonamientos del corazón muchas veces difieren de los de la mente, cuando ésta no ha sido renovada y está alienada con el mundo. Esta parte del espíritu despertó cuando el hombre comió del árbol del conocimiento del bien y del mal.

Cuando el hombre peca continuamente, la parte de Dios que está conectada a su conciencia, la cual es "el temor de Dios" se aparta de él y esto produce un endurecimiento en la conciencia que la hace cada vez más insensible a la voluntad de Dios, produciéndose densos velos de cauterización.

"Pero el Espíritu dice claramente que en los postreros tiempos, algunos apostatarán de la fe, escuchando a espíritus engañadores y a doctrinas de demonios; por la hipocresía de mentirosos, que teniendo cauterizada la conciencia, prohibirán casarse y abstenerse de alimentos que Dios creó..."   *1 Timoteo 4:1, 2 y 3*

– La Mente del Espíritu.

La mente del espíritu consta de varias partes: **Entendimiento, inteligencia espiritual y sabiduría de Dios. Es en la mente del espíritu donde reposa el conocimiento de Dios, donde se nos es dado en forma sobrenatural conocer cosas de Dios, que**

nadie nos ha enseñado. Esta es la parte del espíritu donde recibimos la mente de Cristo, que nos ilumina para entender algo que no podíamos comprender. Es aquí donde Dios revela los grandes misterios de la ciencia, tanto a justos como injustos. Es donde Pablo ora para que se abran los ojos espirituales para entender las riquezas de Su gloria.

"Para que el Dios de nuestro Señor Jesucristo, el Padre de gloria, os dé espíritu de sabiduría y de revelación en el conocimiento de él, alumbrando los ojos de vuestro entendimiento, para que sepáis cual es la esperanza a la cual fuisteis llamados, y cuales las riquezas de la gloria de su herencia en los santos. Y cual la supereminente grandeza de su poder para con nosotros los que creemos, según la operación del poder de Su fuerza..."

Efesios 1:17-19

En este pasaje vemos varias partes del espíritu en acción y a Pablo orando para que sean despertadas y activadas en nuestro ser. Vemos también, la intuición recibiendo el conocimiento, los ojos del entendimiento trayendo iluminación a la mente del espíritu y la herencia, lugar en el que se encuentra la genética espiritual del hombre. De esta última hablaré en un momento. Otra parte del espíritu es el área del "Poder de Dios" que recibe el poder de la resurrección.

Es en esta área del entendimiento donde se establece la luz de Dios y donde podemos crecer también en luz.

– Los Sentidos del Espíritu.

De la misma manera que nuestro cuerpo tiene sentidos para mantenerse en contacto de diversas formas con el mundo que nos rodea, así también nuestro espíritu los tiene para percibir el mundo invisible. **Los sentidos espirituales nos ayudan a diferenciar la procedencia de lo que estamos percibiendo, ya sea de Dios o de las tinieblas, a esto le llamamos discernimiento espiritual.**

"Pero el alimento sólido es para los que han alcanzado madurez, para los que por el uso tienen los SENTIDOS ejercitados en el discernimiento del bien y del mal".

Hebreos 5:14

Todo espíritu humano posee ojos, oídos, gusto, tacto y olfato. Con los ojos tenemos experiencias visuales, como visiones y éxtasis. Con los oídos escuchamos la voz de Dios, de los ángeles y de los demonios. Con el gusto podemos tener una experiencia como la de Juan en el Apocalipsis, quien se comió el librito que el ángel le daba y éste le fue dulce en la boca y amargo en el vientre (Apocalipsis 10:9-10).

El tacto espiritual, quizás el más desarrollado en muchos, es lo que nos hace sentir el calor del Espíritu Santo, o la sensación de que Dios nos abraza. En guerra espiritual, muchas veces se siente el frío de espíritus de muerte que andan rondando, aunque el clima sea caliente.

En ciertas oportunidades un espíritu, y sobre todo, uno desarrollado percibirá olores espirituales, como fragancias que provienen de la presencia de Dios, o la hediondez de espíritus inmundos.

Los sentidos del espíritu están conectados a los sentidos del alma y se nutren unos a otros.

– El Asiento de Poder.

Nuestro espíritu posee un **área en la que radica el poder de Dios.** Es a través de esta parte de nuestro espíritu que se manifiestan los dones de milagros, de sanidades y los prodigios de Dios. Es por decirlo de alguna manera, el motor del espíritu. Sansón recibió la fuerza por esta vía. Es también de donde salió la ráfaga de fuerza de la mano y luego de la vara de Moisés, para dividir el mar Rojo.

Es como la representación de las manos de Dios en nosotros. Como dice el profeta Habacuc:

"El resplandor fue como la luz; rayos brillantes salían de su mano y ahí estaba escondido su poder".

Habacuc 3:4

O como decía Pablo:

"Y a Aquel que es poderoso para hacer todas las cosas, mucho más abundantemente de lo que pedimos o entendemos, según el poder que actúa en nosotros".

Efesios 3:20

Los apóstoles habían recibido el Espíritu de Dios, cuando Jesús lo sopló sobre ellos antes de su ascensión; sin embargo les dijo:

"Pero recibiréis poder cuando haya venido sobre vosotros el Espíritu Santo, y me seréis testigos en Jerusalén, en Samaria, y hasta lo último de la tierra". Hechos 1:8

Esto me muestra que el Espíritu Santo puede venir sobre diferentes áreas del espíritu y activarlas de una en una, hasta alcanzar una plenitud espiritual. Por eso vemos creyentes con una parte de su espíritu mucho más desarrollada que otras. Hay creyentes con gran intuición, o mover profético, pero que en las áreas de poder no son tan efectivos. La realidad es que los dones del Espíritu vienen sobre diferentes partes de nuestro ser espiritual, desarrollándolo en el área que corresponde a cada don.

Es un principio que, lo hecho en lo natural es también en lo espiritual. De la misma manera que en nuestra existencia física, los dones naturales se manifiestan en diversas partes del alma o del cuerpo; así también lo es en el cuerpo espiritual.

Unos desarrollan más los dones mentales, en las ciencias, en los idiomas y en diferentes profesiones. Otros se inclinan por las artes, otros por los deportes, y otros en una combinación de todos.

– La Herencia

Nuestro cuerpo natural acumula la herencia genética en los cromosomas de la célula y estos forman un cordón llamado ADN, que almacena toda la información de nuestra herencia física. Es como el microchip de una procesadora, donde se encuentra toda su información. Es el ADN, el que determina si nacemos con los ojos del abuelo, con la boca de mamá, con el color de pelo del bisabuelo y con la estatura de papá.

Toda esta información es transmitida físicamente de generación en generación y así al multiplicarse las células dentro del vientre de la madre, se va formando un cuerpo bajo el diseño de dicha información. **En el cuerpo espiritual, también se encuentra el mismo modelo: un ADN espiritual, elemento intangible en**

el que se graba toda la información espiritual de generación en generación y cuyo nombre es INIQUIDAD. Dios proveyó para nosotros una herencia redimida basada en el Espíritu de Cristo, la cual tiene que suplantar nuestra herencia de maldición contenida en la iniquidad. Desgraciadamente como este es un tema que casi no se habla en la Iglesia, los creyentes siguen sufriendo las consecuencias derivadas de esta terrible parte de nuestro espíritu.

Fíjese como el mismo Dios atribuye al espíritu del hombre la responsabilidad de su maldad:

"Porque Jehová, Dios de Israel ha dicho que aborrece el repudio, y al que cubre de iniquidad su vestido, dijo Jehová de los ejércitos. Guardaos pues en vuestro espíritu, no seáis desleales".   *Malaquías 2:16*

Aunque este no pretende ser un libro exhaustivo en el conocimiento de todas las áreas del espíritu, sí es importante desglosarlas a groso modo, para darnos cuenta de cómo funciona esta parte esencial de nuestro ser. Es por tanto la herencia, a la que quiero consagrar estas páginas, para que podamos conquistar una libertad maravillosa en Cristo Jesús y entrar en la verdadera posesión de nuestra herencia.

El Conflicto entre
las Dos Simientes

La Iniquidad es el Cuerpo del Pecado

Como vimos en el capítulo anterior, la iniquidad es la semilla diabólica engendrada en el espíritu del hombre y que determina la actividad pecaminosa de éste durante su vida. La Biblia nos habla de dos simientes que están en continuo conflicto la una con la otra:

"Y Jehová dijo a la serpiente:...y pondré enemistad entre ti y la mujer, entre tu simiente y la simiente suya; ésta te herirá en la cabeza y tú la herirás en el calcañar".

Génesis 3:15

Estas simientes tienen dos naturalezas, una demoníaca y caída y la otra divina, que es Jesús. Esta última es la simiente en la cual se encuentra la promesa que Dios le hiciera a Abraham:

"Ahora bien, a Abraham fueron hechas las promesas, y a su simiente. No dice: a sus simientes, como si hablase de muchos, sino como de uno: Y a tu simiente, la cual es Cristo".   *Gálatas 3:16*

Cuando venimos a Cristo, luego de reconocer y aceptar lo que él hizo por nosotros en la cruz; somos bautizados y engendrados en nuestro espíritu de esta simiente divina. A partir de ese momento empieza un conflicto interno en nosotros entre la llamada "Carne" o "alma no regenerada" y la semilla de vida que acaba de ser plantada en nosotros. La carne quiere prevalecer y es alimentada a través de la iniquidad; y la vida de Cristo lucha contra ella, destruyéndola y llevándonos a vivir por el Espíritu.

¿Qué es la carne? Esta es la estructura de maldad –que a través de la iniquidad en nosotros– el diablo edificó en nuestra alma para torcernos del camino de Dios. Desde que nacemos, la iniquidad implantada en nuestro espíritu empieza a contaminar nuestro corazón, nuestro razonamiento; todo el concepto de quienes somos, nuestra forma de desenvolvernos, en dónde vamos poniendo nuestra confianza, etc.

La carne entonces, es una estructura, es nuestra formación interna como criaturas caídas, donde toda la herencia espiritual de iniquidad es vertida en nosotros, para que se cumplan los designios del diablo y no los de Dios. Su función es desviarnos de la justicia divina y tomar nuestra propia forma caída como bandera de conducta y auto justificación.

"Oh congregación ¿Pronunciáis en verdad justicia? ¿Juzgáis rectamente hijos de los hombres? Antes en el corazón maquináis iniquidades; hacéis pesar la violencia de vuestras manos en la tierra. Se apartaron los impíos desde la matriz; Se descarriaron hablando mentira desde que nacieron".   Salmo 58:1-3

El rey David reconoce esta situación que lo arrastra al mal luego de caer en adulterio con Betsabé. Él tiene un claro entendimiento de lo que le ha sucedido y en su oración se dirige a la raíz del problema. Vemos cómo, la luz del Altísimo le permite diferenciar nítidamente la diferencia entre iniquidad, rebelión y pecado. Él entiende que la razón de su forma pecaminosa de actuar es mucho más profunda que el simple pecado cometido, y escribe:

"Ten piedad de mí. Oh Dios, conforme a tu misericordia borra mis rebeliones. Lávame más y más de mi iniquidad, y límpiame de mi pecado". "Porque yo reconozco mis rebeliones, y mi pecado está siempre delante de mí.

Contra ti solo he pecado, y he hecho lo malo delante de tus ojos; para que seas reconocido justo en tu palabra, y tenido por puro en tu juicio. He aquí en iniquidad he sido formado y en pecado me concibió mi madre. He aquí, tú amas la verdad en lo íntimo y en lo secreto me has hecho comprender sabiduría".   Salmo 51:1-6

Aquí vemos cómo la iniquidad es implantada desde el nacimiento y si no es purgada de nuestro ser, alimentará continuamente la vida de la carne enemistándonos así con Dios e invadiéndonos de muerte. Las dos simientes están en continuo conflicto hasta que una de las dos muera. Las consecuencias de que la iniquidad no sea desarraigada por completo trae más conflictos que una lucha interna como lo veremos más adelante.

La iniquidad mana del espíritu del hombre y le da forma y estructura a la carne, además de nutrirla de poder. La iniquidad se manifiesta en la vida del alma formando densos velos que impiden el desarrollo de una vida espiritual efectiva. Es una fuerza que nos jala a permanecer en los terrenos de la mente y de nuestro corazón dependiendo más de nuestra forma de pensar y de nuestros deseos que de Dios.

La carne, la cual es la evidencia manifestada de la iniquidad entre otras cosas, es un concepto mucho más profundo que tan solo considera los frutos de ella.

Como dice la epístola a los Gálatas:

"Y manifiestas son las obras de la carne, que son: adulterio, fornicación, inmundicia, lascivia, idolatría, hechicerías, enemistades, pleitos, contiendas, disensiones, herejías, envidias, homicidios, borracheras, orgías, y cosas semejantes a estas; acerca de las cuales, os amonesto como ya lo he dicho antes, que los que practican tales cosas no heredarán el reino de Dios".   Gálatas 5:19-21

Estos son tan solo frutos, evidencias externas de una estructura, de hábitos y paradigmas que han controlado nuestra vida por años y que sólo por el poder del Espíritu podemos destruir. Tratar con los frutos es tan solo una obra externa. Un ejemplo de esto es un alcohólico que viene a Cristo y deja de beber. A pesar de esto, nunca trató con las raíces de dolor, de rencor y de rebelión que lo condujeron a evadirse de la realidad de esta forma. Inevitablemente el poder de la iniquidad detrás del pecado lo arrastrará a otras formas pecaminosas de evasión.

La razón es porque en su corazón está grabado: "Tienes que evadirte, no soportas el dolor". Este decreto hecho por él mismo, es alimentado por la iniquidad que va de continuo a presionar su carne, y como resultado, caerá en una vida llena de mentiras, o se evadirá a través del adulterio o la pornografía cibernética.

Esta persona cree que ha sido libre del alcohol, pero en realidad lo único que hizo fue podar un fruto visible, pero nunca fue a la raíz del problema.

Tratar con la parte superficial, que es el pecado visible, en aras de buscar nuestra santificación no es suficiente. Por eso hay tanta frustración, condenación e hipocresía en las Iglesias. Dios quiere iluminar nuestro entendimiento a través de estas líneas para alcanzar la verdadera herencia de vida abundante que Jesús tiene para nosotros.

En el intenso camino de oración buscando las llaves para contribuir llevando a la iglesia a su verdadero estado de gloria y de liberación, Dios me mostró que muy pocos en su pueblo entienden lo que es caminar por el Espíritu. Esta forma de conducirse, no es ir a la iglesia todos los domingos o todos los días, ni tampoco es saberse la Biblia de memoria, ni tampoco es un servicio sistemático en la organización de la iglesia. Caminar en el Espíritu tiene que ver con desarrollar cada área de nuestro Ser Espiritual. Es un caminar sobrenatural y totalmente guiado por el Espíritu de Dios, es la manifestación visible de Cristo en nosotros y la total destrucción del cuerpo de pecado que ya sabemos se llama iniquidad.

NO ES LA VOLUNTAD DEL HOMBRE LA QUE DESTRUYE LAS OBRAS DE LA CARNE SINO EL ESPÍRITU DE DIOS.

Es la simiente de Dios trayendo muerte a la simiente diabólica en la carne. Esto sólo se logra entendiendo la vida del Espíritu y pasando tiempo en intimidad con Dios.

La carne se disfraza de espiritualidad trayendo hacia sí, terribles espíritus de religiosidad. La religión subyuga la carne, la doblega, tratando con hábitos externos, dándole apariencia de piedad, pero negando la eficacia de la misma. La religión no puede por medio de sus normas y legalismos tratar con la parte interna del ser, donde radica la iniquidad. Esto sólo puede ser hecho por medio del Espíritu, adecuando nuestro espíritu al de Dios.

Al hombre religioso le agrada HACER cosas aparentemente piadosas; pero lo que es del espíritu no tiene que ver con el hacer, sino con el SER.

Esto es de tal relevancia que si no lo entendemos, estaremos viviendo conforme a la herencia de iniquidad en nosotros, haciendo esfuerzos y sacrificios que para lo único que sirven es para agotarnos y terminar hartos de todo lo que se llame iglesia. Por eso vemos y se acercan a nosotros tantos siervos de Dios, quemados, sin fuerzas y desconociendo qué hacer o para dónde dirigir sus pasos.

Es parte de los planes del diablo, invadir de religiosidad La Santa Iglesia de Jesucristo, para gobernar a través de la iniquidad y matar la vida del espíritu.

Tenemos que entender que todo lo que no es originado día a día en el cielo y traído a nosotros por el Espíritu Santo de Dios, tiene su origen en la carne y su fin es muerte. Se puede orar en la carne, oraciones mentales, peticiones llenas de llanto pero que carecen de fe. Se puede leer la Biblia en la carne, no consiguiendo revelación, sino ataduras a la letra. Se puede adorar, cantando tan solo con la boca y sin ningún objetivo de alcanzarlo a Él, tan solo para llenar un tiempo del servicio, mientras los corazones están disipados en otros pensamientos. Estos son lazos de iniquidad que no permiten un desarrollo eficaz del espíritu.

Es una gran mayoría de iglesias las que ponen poco o ningún énfasis, en la adoración profunda del Espíritu y en dar lugar a un genuino fluir dentro de la intimidad de Dios, que habilite a los creyentes en su desenvolvimiento espiritual.

Ha sido prácticamente una tendencia generalizada priorizar los programas del hombre en vez de que fluya la libertad de lo que Dios quiera hacer, y cómo Él lo quiera hacer. Esto ha producido un cristianismo carnal (estructurado humanamente) que carece de eficacia espiritual en la gran mayoría de los miembros de una iglesia.

Es relativamente fácil crear un sistema religioso de normas y fórmulas que todos puedan seguir. Porque en el fondo muchos temen entrar en los caminos desconocidos e intangibles del espíritu, donde ya no podemos controlar lo que sucederá; ni tampoco podemos ponerle palabras o explicaciones humanas.

Es por eso que resulta más fácil, desechar lo incomprensible del Espíritu y llevar la cosa en la medida que podamos manejarla. Esta actitud desgraciadamente ha invadido a la Iglesia, haciéndola en su mayoría inefectiva, sin poder; carnal y muerta.

Pero Dios está volviendo a tocar a la puerta, para que entendamos verdades que nos llevarán a la plenitud con Él, a través de una vida llena de su conocimiento y de un espíritu investido de su poder y de su sabiduría. Una vida que ha crucificado la carne en forma verídica.

"Pero los que son de Cristo HAN CRUCIFICADO la carne con sus pasiones y deseos".   *Gálatas 5:24*

La carne entonces está ligada íntimamente a la iniquidad y sirve a la ley del pecado y de la muerte, oponiéndose a la vida del espíritu, matando en muchos casos la vida espiritual del creyente. En el libro a los Romanos vemos la clara lucha entre las dos simientes y el resultado de ésta determinará nuestro destino final.

"Ahora, pues, ninguna condenación hay en Cristo Jesús, para los que no andan conforme a la carne sino conforme al Espíritu. Porque LA LEY DEL ESPÍRITU DE VIDA en Cristo Jesús me ha libradode la LEY DEL PECADO Y DE LA MUERTE". Romanos 8:1- 2

Note en este pasaje cómo Dios aclara que no hay condenación alguna para los que andan conforme al espíritu. No dice que no hay condenación para todo aquel que dice "Señor, Señor", sino para los que no andan conforme al espíritu sino conforme a la carne. Después de esto, el Apóstol menciona dos leyes que se oponen entre sí: la ley del Espíritu de vida gobernada por Cristo a través de una vida espiritual; y la ley del pecado y de la muerte dirigida por el diablo por medio de la iniquidad.

Mientras la iniquidad no sea erradicada, mantendrá al creyente atado en los terrenos de la carne, por un lado tratará de llevar una vida espiritual, puesto que ama a Jesús, pero inevitable será arrastrado a hacer conjeturas carnales. Por lo general en sus decisiones será inducido a hacer lo que su mente o sus emociones le indiquen. Su opinión en asuntos espirituales será muchas veces contaminada por pensamientos religiosos. Tendrá un crecimiento lento. Manifestará negativismo y su fe, unos días será alta y otras baja y hasta nula. La iniquidad siempre trae consigo sentimientos de culpa y se esforzará por tratar de quitarle la paz y llenarlo de muerte.

La iniquidad tiene por objetivo hacernos permanecer enfocados a este mundo. Es enemiga de la cruz, y tratará de evadirla a toda costa. Como ministerio a las naciones he recibido invitaciones para predicar donde específicamente me prohíben hablar de la cruz, o de nada que pueda ofender la comodidad de la iglesia. Obviamente no acepto dichas invitaciones. En muchos seminarios aún se enseña, que si se quiere tener una iglesia numerosa lo mejor es hablar lo menos posible de la cruz y del pecado. Muchos ministros de Dios son atrapados en las redes de la iniquidad con una aparente espiritualidad, cuando en realidad están buscando tener grandes ministerios en ESTE MUNDO, anhelando la fama DE ESTE MUNDO. Quieren el reconocimiento de los grandes ministerios y el favor de los hombres.

Es por eso que muchas veces la predicación de la palabra es comprometida, lo mismo que la libertad del Espíritu, porque la iniquidad tiene puestos sus ojos en el temor del hombre antes que en el temor de Dios.

"Hermanos, sed imitadores de mí y mirad a los que se conducen según el ejemplo que tenéis en nosotros. Porque por ahí andan MUCHOS, de los cuales os dije muchas veces, y aún ahora lo digo llorando, que son enemigos de la cruz de Cristo; el fin de los cuales será perdición, cuyo Dios es el vientre, y cuya gloria es su vergüenza; que solo piensan en lo terrenal".   Filipenses 3:17-19

El espiritual está satisfecho con lo que Dios quiera para él; si es un ministerio grande, ¡qué bueno! y si no también. Lo importante es hacer la voluntad de Dios aunque implique perderlo todo aquí para ganarlo todo en el cielo.

"Porque los que son de la carne, piensan en las cosas de la carne; pero los que son del Espíritu en las cosas del espíritu. Porque el ocuparse de la carne es muerte; pero el ocuparse del Espíritu es vida y es paz. Por cuanto los designios de la carne son enemistad contra Dios; porque no se sujetan a la ley de Dios ni tampoco pueden..." Romanos 8:5-7

Una cosa que yo veo con claridad en la escritura es que no se puede SER del Espíritu y SER de la carne al mismo tiempo. O se es del uno o se es de la otra.

El SER del Espíritu implica un camino, una forma de vivir y de actuar; objetivos muy diferentes a los de este mundo. Por algún lado se infiltró en la Iglesia la

teoría que se puede ser de la carne y del Espíritu y
que la justicia de Dios nos justifica, no importa cómo
vivamos. Esto es un grave error, que en muchos casos
ha dado como resultado, una iglesia llena de pecado,
de muerte espiritual, de enfermedades, de religión y
carente del poder y de la victoria de Jesucristo. Una
iglesia que en su mayoría no tiene la menor idea de
lo que es vivir por el Espíritu.

Creo que Dios nos está llamando a detenernos y
revisar muchas doctrinas que venimos arrastrando y
revisarlas a la luz de los resultados prácticos que
éstas han producido.

3

La Moradas
de Iniquidad

"Formó, pues, Jehová Dios al hombre del polvo de la tierra, y alentó en su nariz soplo de vida; y fué el hombre en alma viviente. Y había Jehová Dios plantado un huerto en Edén al oriente, y puso allí al hombre que había formado". Genesis 2:7-8

"Y los bendijo Dios; y díjoles Dios: Fructificad y multiplicad, y henchid la tierra, y sojuzgadla, y señoread en los peces de la mar, y en las aves de los cielos, y en todas las bestias que se mueven sobre la tierra". Genesis 1:28

El alma de Adán fue creada para morar en Dios, en una morada celestial, en el jardín del Edén, revestido de la luz de Cristo. Todo el conocimiento, la sabiduría, la inteligencia, el consejo, el poder y el temor de Dios constituían esta morada espiritual. A través de élla, él podía gobernar la tierra con el pensamiento y la mente de Su Creador.

Esta morada era una fortaleza inexpugnable, esto significa que no podía ser penetrada por ningún mal. Era la morada misma de Dios en el hombre. Nuestro Creador le dio además una herramienta para reinar, que dejó en su total posesión: "El libre albedrío" o lo que conocemos como "La voluntad". Ésta nadie la podría tocar, ni aún Dios ni mucho menos el diablo.

Satanás entonces sedujo la mente de la mujer, quien usó su voluntad para entrar en el terreno propuesto por el diablo. Esto tuvo como consecuencia que el hombre perdiera su morada espiritual: "El Edén". Como consecuencia, su alma quedó separada de Dios y el hombre perdió su vida eterna, y su mente se redujo al 2% de su capacidad y en el mejor de los casos en tan sólo un 10%.

El alma del hombre y sus pensamientos quedaron sumergidos en oscuridad y confusión, siendo la voz del diablo, la única que los alimentaría. De ahí en adelante el enemigo sería el proveedor de todo tipo de pensamientos inferiores, carnales, soberbios, pecaminosos, limitados y temerosos que son el material con la que el alma caída edifica su habitat espiritual. Esto es lo que la Biblia llama "moradas de maldad" o "moradas de iniquidad".

"Porque mejor es un día en tus atrios que mil fuera de ellos: Escogería antes estar a la puerta de la casa de mi Dios, que habitar en las moradas de maldad".

Salmo 84:10

La tierra está llena de gente que mora literalmente en una morada espiritual y almática totalmente opuesta al Edén. Estas estructuras de iniquidad controlan, dominan, afectan y llenan de males a las sociedades en las que el hombre caído vive.

"Mira al pacto: Porque los lugares tenebrosos de la tierra llenos están de habitaciones de violencia".   Salmo 74:20

Después de la caída, Dios dejó de señorear la tierra a través de sus hijos y ahora gobierna la muerte y el diablo por medio de la iniquidad. El reflejo del seol se hace visible edificando en los hombres todo tipo de pensamientos de muerte, y de miedo, que no los dejan avanzar.

"Como a rebaños que son conducidos al Seol; la muerte los pastoreará; y los rectos se enseñorearán de ellos por la mañana: y se consumirá su buen parecer y el seol sera su morada".   Salmo 49:14

La iniquidad moldea la mente del hombre, creando fortalezas que literalmente dictaminan nuestro comportamiento. Vemos en el caso del rey Nabucodonosor cómo Dios juzgó su orgullo y su iniquidad y éste adoptó una mentalidad de animal en la cual queda cautivo. El comportamiento del hombre se conforma a su morada.

"Que te echarán de entre los hombres, y con las bestias del campo será tu morada, y con hierba del campo te apacentarán como á los bueyes, y con rocío del cielo serás bañado; y siete tiempos pasarán sobre ti, hasta que entiendas que el Altísimo se enseñorea en el reino de los hombres, y que á quien él quisiere lo dará".

Daniel 4:25

Note en estos pasajes cómo el mundo espiritual de tinieblas y de muerte, moldea las circunstancias del hombre en el mundo natural. **Estas moradas son estructuras espirituales, mentales o emocionales desde las cuales funcionamos y desde donde tomamos toda decisión que no proviene de Dios.**

Todo lo que no está edificado en Dios, está edificado con iniquidad, que es el material que proviene de las tinieblas. Todos hemos construido este tipo de moradas alrededor de nuestra alma. **Una morada es por así decirlo un molde invisible que rodea nuestra alma, que le da forma, personalidad e identidad.**

Estas estructuras están hechas por un conjunto de pensamientos que rigen todo lo que somos y determinan el fruto que producimos.

"Porque cual es su pensamiento en su alma, tal es él..."
Proverbios 23:7

El hombre es el reflejo de la morada de su alma. Un alma edificada por Dios, pensará, actuará y producirá fruto conforme a Dios. El hombre natural o cristiano que no ha sido edificado espiritualmente, pensará, actuará y producirá los frutos de una mente limitada y estructurada por la cultura y las circunstancias.

Esta estructura o morada del alma es el lugar de su seguridad o su inseguridad en el que él mismo se ha colocado. Esta es una mentira edificada en su interior que le dicta lo que tiene que ser. Es el lugar donde están construidas todas sus limitaciones. Es lo que hace que una persona piense de una manera o de otra. Estas estructuras de pensamiento y emociones han sido edificadas en su mente y en su corazón desde pequeño, son el producto de la iniquidad y no se deshacen con la frase: "Señor, Señor, ven a vivir en mi corazón".

Estas moradas deben ser desechas por el poder de Dios, por nuestra determinación para derribarlas y por fe, cambiando la mentira por la verdad ilimitada de Dios. No se trata de repetir versículos, sino de empezar a creer en forma diferente con respecto a nosotros mismos. Vernos en toda la grandeza y poder con las que Dios nos ve, y actuar de esta manera no dando lugar a ninguna duda.

Estas estructuras son por lo general:
- moradas de temor
- moradas de aflicción
- moradas de enfermedad
- moradas de escases y pobreza
- moradas religiosas, y babilónicas
- moradas culturales
- moradas de estres
- moradas de incredulidad
- moradas de orgullo y egocentrismo
- moradas de negligencia
- moradas de adicción
- moradas de rechazo
- moradas de hábitos destructivos
- moradas de lujuria
- moradas de complacencia

Cada uno de los pecados en los que hemos perseverado edificarán una morada. Para derribarlas, primero tenemos que saber que existen y que están controlando nuestras vidas y no sólo las rigen sino que atraen hacia sí mismas aquello que proyectan.

Por ejemplo: una persona puede ir a la iglesia toda

la vida y vivir en moradas de pobreza, temor, enfermedad, miedo al rechazo, etc. Estas moradas ejercen un poder que atrae pobreza, enfermedad y rechazo, **porque el alma está establecida y fundamentada en lugares de tinieblas donde reinan la pobreza, la enfermedad y el rechazo.** No importa que tanto esa persona proclame con la boca una verdad bíblica, mientras su alma siga establecida en esas estructuras de pensamiento, está anulando el poder de Dios en su vida y nunca saldrá adelante en esa área de su vida. Sus moradas internas se vuelven una tradición, una forma de vida, una prisión que no le permite visualizarse en forma diferente. Esta persona ha aceptado una mentira y vivirá así hasta que decida destruirla por completo. La iniquidad formó una fortaleza que necesita ser derribada.

"Invalidando la palabra de Dios con vuestra tradición que habéis transmitido. Y muchas cosas hacéis semejantes á éstas. Y llamando á toda la multitud, les dijo: Oidme todos, y entended: Nada hay fuera del hombre que entre en él, que le pueda contaminar: mas lo que sale de él, eso es lo que contamina al hombre". Marcos 7:13-15

Lo que hemos edificado desde nuestra niñez, nuestra forma limitada y tradicional de ver y entender el mundo es lo que nos contamina. Por lo tanto, esto es lo que proyectamos, hablamos y vivimos constantemente.

Por eso es que hoy por hoy tenemos tantos cristianos enfermos, pobres, oprimidos, sin poder, con profundos problemas de carácter y pecado. Ellos nunca han destruido las moradas de iniquidad en las que fue formada su alma. Además, no se han establecidos en moradas celestiales. Muchas personas recaen en sus pecados, porque por un lado quieren dejar esa forma de vida, y se alejan por un tiempo, pero nunca desarraigaron la iniquidad ni destruyeron la morada que edificó ese pecado en su alma.

Tenemos el caso de un alcólico, que cayó en esta esclavitud, por abusos que sufrió en su pasado. El alma se edificó en una estructura de evasión y escapismo, usando el alcohol como salida. Luego, éste hombre se vuelve al Señor, y entrega su alcoholismo a manos de Dios; es liberado de espíritus de alcoholismo, pero nunca deshace la estructura de escapismo. Tarde o temprano el diablo usará esa edificación para conducirlo a nuevas formas de evasión a través de otro pecado, como pornografía, violencia verbal o lo que sea.

Lo mismo sucede con la pobreza y escases. Por generaciones las personas vienen edificando dentro de ellas pensamientos de pobreza, de incapacidad y de limitaciones sin fin. Luego vienen al Señor, se llenan la cabeza de Biblia, inclusive se vuelven siervos de Dios, pero nunca destruyen esas moradas. Esas son moradas de maldad, Dios no las edificó, por lo que causan que estos siervos vivan limitados continuamente en sus finanzas. Por más que siembren y siembren en el Reino de Dios, no prosperarán jamás en la medida que Dios preparó para ellos, porque sus almas están rodeadas de estructuras que atraen pobreza alrededor de ellos.

Con la boca confiesan a Dios, pero con sus pensamientos toman decisiones conforme a sus limitaciones financieras. Si van a edificar una iglesia, se la imaginan hecha de palos o en un garage mecánico. DIOS NO PIENSA ASÍ. Todo lo que Dios piensa y proyecta para nosotros es grandioso.

Solo llegaré a ser aquello que sea la esencia de mi morada espiritual: ya sean las moradas de Dios o las moradas de iniquidad.

La labor principal de la Iglesia es edificar la morada de Dios en cada creyente, no llenarnos de Bibila y de fórmulas humanas que niegan la eficacia del poder de Dios.

"Edificados sobre el fundamento de los apóstoles y profetas, siendo la principal piedra del ángulo Jesucristo mismo; en el cual, todo el edificio bien coordinado, va creciendo para ser un templo santo en el Señor: En el cual vosotros también sois juntamente edificados, para morada de Dios en Espíritu".   *Efesios 2:20-22*

Jesús vino a restaurar lo que se había perdido y una de estas cosas es precisamente la morada de Dios en el alma y en el espíritu del hombre. El rey David penetró la belleza y el poder de esas moradas pero no podía establecerlas en su interior, esto solo fue posible después que vino el Espíritu Santo en el Pentecostés. Sin embargo, el Padre le permitió entrar en ellas, disfrutarlas temporalmente y ver su magnificencia; la herencia de Jesús para nosotros.

"El que habita al abrigo (en el lugar secreto) del Altísimo, morará bajo la sombra del Omnipotente. Diré yo á Jehová: Esperanza mía, y castillo mío; Mi Dios, en él confiaré. Y él te librará del lazo del cazador: De la peste destructora. Con sus plumas te cubrirá, y debajo de sus alas estarás seguro: Escudo y adarga es su verdad. No tendrás temor de espanto nocturno, ni de saeta que vuele de día; ni de pestilencia que ande en oscuridad, ni de mortandad que en medio del día destruya. Caerán á tu lado mil, y diez mil a tu diestra: Mas a ti no llegará. Ciertamente con tus ojos mirarás, y verás la recompensa de los impíos. Porque tú has puesto á Jehová, que es mi esperanza. Al Altísimo por tu habitación. No te sobrevendrá mal, ni plaga tocará tu morada. Pues que á sus ángeles mandará acerca de ti, que te guarden en todos tus caminos. En las manos te llevarán, porque tu pie no tropiece en piedra. Sobre el león y el basilisco pisarás; Hollarás al cachorro del león y al dragón. Por cuanto en mí ha puesto su voluntad, yo también lo libraré: Pondrélo en alto, por

cuanto ha conocido mi nombre. Me invocará, y yo le responderé: Con él estare yo en la angustia: Lo libraré, y le glorificaré. Lo Saciaré de larga vida, y le mostraré mi salud".   *Salmo 91: 1-16*

¡Que maravillosas son las moradas de Dios!. Estas son opuestas a las moradas del diablo en las que la gente vive llena de inseguridad, temor, carencia, enfemedad y asaltados por el terror del impredecible futuro y de su humana fragilidad. Las moradas de Dios son verdaderamente seguras, inexpugnables, llenas de salud, de abundancia y de la tranquilidad de un futuro diseñado y protegido por Dios. Sin embargo, esto tampoco se edifica en un segundo simplemente porque repetimos la oración del pecador. Tenemos que edificar con material del cielo, con oro, con plata y piedras preciosas provenientes del Espíritu Santo de Dios.

El que ha edificado su morada espiritual en Dios vivirá en paz, en seguridad, en salud, en la tranquilidad de que ninguna tragedia repentina vendrá sobre él.

Quien edifica en Dios será próspero todos los días de su vida, porque su alma prosperó de lo terrenal a lo celestial.

Derribar las moradas de maldad depende primeramente de someter nuestra voluntad a Dios, para empezar a cambiar eficazmente la mentira por la verdad de Él. Tengo que saber, no tan solo creer, que nadie puede poseer mi voluntad, y que ésta es mi herramienta más poderosa para entrar al Reino de Dios y a su herencia.

La mentira más grande que el diablo le ha hecho creer a los hijos de dios, es que él puede poseer la voluntad del hombre.

Dios le dio al hombre "LIBRE ALBEDRIO" y nadie, ni Dios ni el diablo pueden tocar nuestra voluntad. Dios la selló para que fuera nuestra, porque por ella seremos juzgados.

El que entienda esto, podrá ser plenamente libre y podrá arrebatar todas las riquezas que Cristo compró por precio de sangre para él.

En Cristo Jesús, soy y tengo, lo que me atrevo a ser y a poseer de Su Reino. Él ya nos dio todas las cosas pertenecientes a la vida y a la piedad. El ya nos dio el Reino, esto significa que el Reino es Aquí y Ahora, pero solo los violentos lo arrebatan. Mi Voluntad unida al poder de Dios es el instrumento para derribar las moradas de maldad que por años me han gobernado.

Por mi voluntad decido dedicar tiempo y amor para edificar mi ser interior y encontrarme con Jesús a cara descubierta hasta que lo logre.

"Y yo os digo: Pedid, y se os dará; buscad, y hallaréis;
llamad, y os será abierto".   *Lucas 11:9*

Frases tales como: "El diablo no me deja orar" o
"No puedo hacer la voluntad de Dios, porque el diablo
no me deja" son una absoluta mentira. Tú eres dueño
de tu voluntad y ni Dios ni el diablo te pueden forzar
a nada.

Tú tienes en tu voluntad, el poder para tomar
decisiones radicales de cambio. Algunas requerirán
pelear, pero tú y solo tú, decides si peleas con Dios
para ganar o te rindes al diablo para perder. ¡LA
DECISIÓN ES TUYA!

Cuando Adán dejó la morada de Dios, se encontró
desnudo y su morada alternativa fue esconderse y
cubrirse con hojas de parra. Dios le preguntó
entonces: ¿Dónde estás? Hoy, Dios te hace esa
misma pregunta.

¿Dónde estás? ¿Desde qué morada estás operando?
¿Cuál es tu condición de vida? ¿Qué estás produciendo
en cada aspecto de ella? ¿Qué pasa en tus relaciones
con otros? ¿En tu salud? ¿En tus finanzas? ¿En tu
misión celestial? Cuando el mundo te observa, qué
ve. ¿La realidad de las verdades celestiales estan

manifestadas en tu vida? o ¿Vives una supuesta devoción a Dios, pero tu realidad está llena de limitaciones y de moradas establecidas en el derrotado territorio del diablo?

Dios nos está llamando a todos a buscar la verdadera realidad de las moradas desde donde operamos. Nos está llamando a ser agresivos contra todo lo que nos está impidiendo entrar a las maravillosas dimensiones de Su moradas. Nos está llamando a dejar la pasividad y el conformismo de una Iglesia que se mueve en la mediocridad y que no está avergonzando a la sabiduría de este mundo.

Dejaremos atónitos y humillados a los poderosos y sabios de este mundo, cuando la enfermedad no nos toque, cuando no tengamos que pedir prestado sino que seamos los mayores dadores del mundo. Esto pasará cuando seamos el ejemplo encarnado del amor de Dios en la tierra, cuando el mundo perdido pueda ver la morada de Dios manifestándose en cada uno de nosotros.

Operación y Manifestación
de la Iniquidad

Si tratáramos de imaginarnos el cuerpo de iniquidad, sería como un torcido cordón negro que está dentro de nosotros en el área del espíritu. Éste está formado por cientos de nudos y capas sobre capas que lo engruesan como si fueran trapos inmundos llenos de información y de pactos, que se han ido acumulando de generación en generación.

Esto es como si tuviéramos un tapón o un caparazón que continuamente está bloqueando o estorbando la vida que quiere fluir desde nuestro espíritu a nuestro corazón y de ahí a nuestra mente.

1.- La iniquidad produce Sordera Espiritual

Una gran cantidad de personas tienen obstruido el oído espiritual y **no pueden escuchar la voz de Dios**, por causa de estas capas de oscuridad que la iniquidad ha ido tejiendo en ellos.

"Se apartaron los impíos desde la matriz; se descarriaron hablando mentira desde que nacieron. Veneno tienen como veneno de serpiente; son como el áspid sordo que cierra su oído, que no oye la voz de los que encantan por más hábil que sea el encantador".   Salmo 58:3-5

El plan de Dios es que todos oigamos su voz, esto no es únicamente para los profetas o en quienes se manifiesta el don de profecía. Toda la instrucción del Espíritu Santo está basada en nuestra habilidad de oír a Dios. Denominaciones enteras se han cerrado a esta verdad esencial de la vida cristiana, aludiendo a que Dios ya no habla hoy. Nada es más erróneo que pensar de esta manera. Jesús dijo:

"Mis ovejas oyen mi voz y me siguen" y cuando lo dijo no se había escrito el Nuevo Testamento. Él también enseñó, que el Espíritu Santo sería enviado para instruirnos en todas las cosas y terminar lo que Jesús empezó.

En la primera epístola de Juan está escrito:

"Vosotros tenéis la unción del Santo y no tenéis necesidad de que nadie os enseñe".   *1 Juan 2:20*

La unción habla a nuestras vidas y nos trae la revelación de la palabra de Dios.

El Padre diseñó el espíritu del hombre para que pudiera escuchar su voz. De hecho, todo espíritu puede escuchar las diferentes voces que provienen del mundo espiritual. Por lo tanto, todos estarán de acuerdo, que no hay nadie que no escuche diariamente la voz del diablo: voces de temor, de ansiedad, de desánimo, de negativismo, etc.

Esto nos muestra claramente que tenemos la facultad de oír el mundo espiritual. La mayor mentira del diablo es que no podemos oír la voz de Dios. ¿Qué clase de Cristianismo sería el trazado por Dios, que podamos oír con claridad la voz del diablo y no la del Señor?

De hecho, si abrimos un poco nuestro entendimiento, nos daremos cuenta que Dios siempre nos ha estado hablando. A través de ese repentino reflejo que hizo que te detuvieras sin razón al cruzar la calle y esto te salvó de ser atropellado. O ese algo que te dijo: no te acerques a ese hombre porque tiene malas intenciones y cambiaste el rumbo de tu caminar. O esa pequeña y dulce voz que te dice:

acércate a tu esposa y pídele perdón y lo hiciste y todo se arregló.

La voz de Dios se hace nítida o es estorbada según la presencia o la ausencia de la iniquidad.

"He aquí no se ha acortado la mano de Jehová para salvar, ni se ha agravado su oído para oír; pero vuestras iniquidades han hecho división entre vosotros y vuestro Dios, y vuestros pecados han hecho ocultar de vosotros su rostro para no oír".   Isaías 59:1-2

Note que aquí dice iniquidades. Esto quiere decir que hay áreas donde una persona ha sido tremendamente tratada por Dios y en esa dirección oye con toda claridad. Pero hay otras en las que continuamente hay un conflicto y no sabe cómo resolver el asunto y esto ocurre por un embotamiento en el oído espiritual, ocasionado por un cúmulo de iniquidad que está obstruyendo el oído espiritual.

Por ejemplo, una persona con un ministerio puede oír claramente en cuanto a lo que Dios quiere para la iglesia en la que sirve, pero tiene dificultades para encontrar la voluntad de Dios en las decisiones financieras. Esto se debe a que en alguna parte de su pasado o en el de sus antepasados hubo actividad inicua en el área económica. Quizás haya un fraude, un negocio deshonesto, un robo, o una deuda impaga, o falta de integridad, etc. Mientras esto no sea confesado, como pecado y como iniquidad, creará un bloqueo en el oído espiritual, además de atraer hacia la persona una serie de percances en el área financiera.

Es importantísimo hacer un análisis detallado de nuestras obras y la de nuestros ancestros para desarraigar toda raíz de iniquidad en este sentido.

Esto desde luego es imposible sin la revelación del Espíritu Santo.

Tenemos que venir a Él y pedirle que queremos arrancar toda iniquidad de nuestro ser, y pedirle, además, que nos muestre por medio de sueños o de su don de Palabra de Ciencia, en dónde está arraigada la iniquidad en esta área de nuestra vida.

A veces el oído espiritual está tan obstruido que necesitamos la ayuda de un ministro de Dios, que nos auxilie en discernir áreas de iniquidad que están en nosotros. Es muy fácil caer en la flojera y en la desidia espiritual, con una actitud que dice: "Que otros oigan por mí, porque yo no oigo nada". Eso es precisamente iniquidad.

Esto también se puede dar en otras áreas de nuestra alma, como las emociones: personas que tienen continuos conflictos en este sentido y no pueden oír la voz de Dios para solucionar sus problemas. Es muy común el caso de personas que continuamente sueñan con aberraciones sexuales y oran y piden perdón por sus sueños o imaginaciones diurnas, pero esto nunca parece llegar a su fin. La razón es iniquidad no confesada.

La gran mayoría de las personas hacen confesiones generalizadas tales como: "Perdona Señor todo pecado sexual que yo o mis antepasados hayamos cometido". Esto desgraciadamente no ayuda mucho. Si bien es suficiente en el caso de un moribundo, en todos los demás no lo es. En el mundo espiritual cada pecado proviene de una raíz de iniquidad y ha quedado grabado en ella. Es muy importante hacer una lista detallada, ayudados por el Espíritu Santo, y pedir perdón por cada una de nuestras acciones.

Hay personas que van a llenar un cuaderno entero anotando uno en uno todos sus pecados, pero créame cuando se tome el tiempo de hacerlo quedará totalmente libre y vivirá una vida de paz. Esto es importante para los casados que viven atormentados y llenos de culpas por estos sueños e imaginaciones, que la mayor parte de las veces acaban minando la vida sexual de la pareja.

Querido lector, Dios no le ha desamparado, pero la iniquidad es un estorbo más grande de lo que creemos.

2.- La Iniquidad produce Ceguera Espiritual.

De la misma manera que Dios diseñó que tuviéramos oído espiritual, Él planeó que tuviésemos ojos espirituales. Ojos en el entendimiento de nuestro espíritu para ver con claridad las verdades de Dios y el tesoro glorioso de todas sus riquezas. Ojos en nuestros sentidos espirituales para ver en el mundo invisible y contemplar de esta manera Su gloria. **¿Todos pueden ver en el mundo espiritual? Desde luego que sí, pero no podemos operar en una verdad a menos que la entendamos y la creamos para nuestras vidas.**

Antes de venir a nuestro encuentro personal con Cristo, no sabíamos que Dios nos podía usar para sanar enfermos o para echar fuera demonios; o si tal vez nos enseñaron, pero nos dijeron que eso no era para nuestros días. En mi caso, cuando leí en la palabra que estas señales seguirían a los que creyesen en Jesús, creí rotundamente que esa palabra era para mí, y la puse por obra.

Lo mismo sucedió cuando me di cuenta que podíamos ver el Reino de Dios, y que esto no era para unos cuantos, sino para todos los que se convirtiesen de corazón.

"Pero cuando se conviertan al Señor el velo se quitará. Porque donde está el Espíritu del Señor, allí hay libertad. Por tanto NOSOTROS TODOS mirando a cara descubierta como en un espejo la gloria del Señor, somos transformados de gloria en gloria como por el Espíritu del Señor".   2 Corintios 3:16-18

En este pasaje vemos con claridad que la obra del Espíritu de Dios, al estar éste presente, nos permite mirar su gloria a cara descubierta. Esto es una realidad, que vivimos miles de personas. La pregunta es por qué algunos no ven.

En la gran mayoría de los casos se debe a dos causas.La primera es por causa de los velos de iniquidad que no han sido removidos, ni del entendimiento ni de los sentidos espirituales.

La segunda, es el caso de gente madura en el Señor, que simplemente no han desarrollado el ejercicio de su visión espiritual. Unos porque nunca han creído realmente que pueden desenvolverse de esta manera, y no le han dado importancia. Otros, porque no han puesto el énfasis necesario, por estar más capacitados en otros dones.

Pero enfoquémonos en la primera gran causa: los velos de iniquidad.

El Apóstol Pablo señala en esta misma carta a los Corintios, que la obra del diablo está enfocada en producir ceguera espiritual.

"En los cuales cegó el entendimiento de los incrédulos, para que no les resplandezca la luz del evangelio de la gloria de Cristo, el cual es la imagen de Dios".
2 Corintios 4:4

Y también dice:

"Pero el entendimiento de ellos se embotó; porque hasta el día de hoy, cuando leen el antiguo pacto, les queda el mismo velo no descubierto, el cual por Cristo es quitado. Y aun hasta el día de hoy, cuando se lee a Moisés el velo está puesto en el corazón de ellos. Pero cuando (en sus corazones) se conviertan a Cristo el velo les es quitado".
2 Corintios 3:14-16 (versión amplificada)

Ahora bien, aunque innegablemente el Apóstol se refiere a los que nunca se han acercado a Cristo, también está hablando de todos aquellos en los cuales hay incredulidad. Miles de Cristianos, han creído en Jesús como su salvador, pero en muchas áreas de sus vidas son incrédulos.

La razón de esto es que sus corazones todavía están contaminados de iniquidad, que no ha sido purgada de ellos. Esta ha formado velos de diversas intensidades que producen ceguera espiritual.

Para quitar esos velos, es necesario identificar las áreas de nuestro corazón que aún no están rendidas al señorío de Cristo. Cuando éstas se conviertan a Él, entonces serán removidos los velos que producen la ceguera.

Solo en la presencia manifestada del Espíritu Santo los corazones pueden ser transformados. Él es el que trae libertad a las prisiones de un corazón y de una mente que han estado en tinieblas. Por eso es importante pasar tiempo con el Señor, porque en la medida en que el traiga su gloria a nuestras vidas, veremos la luz que nos va transformando a Su imagen.

Cristo es la imagen del Dios invisible, y es Su imagen en nosotros la que puede mirar a cara descubierta la gloria de Dios. Jesús dijo:

"Todavía un poco y el mundo no me verá más; pero vosotros me veréis".   *Juan 14:19*

Y también enseñó diciéndoles:

"Como tú me enviaste al mundo, así yo los he enviado".
                                                            Juan 17:18

Jesús fue enviado, siendo lleno del Espíritu Santo,

y con plena facultad de oír y de ver todo lo que el Padre hacía. De la misma manera, es que ahora Él nos envía a nosotros. Viendo y oyendo lo que Él hace.

"Respondiendo entonces Jesús les dijo: De cierto, de cierto os digo: No puede el Hijo hacer nada por sí mismo, sino lo que ve hacer al Padre". "Porque el Padre ama al hijo, y le muestra todas las cosas que él hace..."

Juan 5:19 - 20

La gran mayoría de los hijos de Dios no se mueven en esta libertad, porque la iniquidad en ellos los llena de incredulidad o de culpas. Y la verdad es que no es otra cosa que velos mentirosos de tinieblas con los que el diablo ciega a la Iglesia. Su objetivo es que no se mueva en todo el poder que Jesús compró por precio de sangre para ella.

Ver el Reino de Dios, ser expuestos para contemplar su gloria, es lo más maravilloso que nos puede suceder. Vale la pena hacer lo que sea con tal de conseguirlo y esto es: limpiar nuestros corazones de iniquidad.

3.- La Iniquidad produce Enfermedades y Dolencias.

La iniquidad es una de las causas más importantes de la enfermedad. **Aunque tiene su origen en el**

espíritu del hombre, se desenvuelve en el corazón y termina como una manifestación física que deteriora el cuerpo.

La ciencia habla de lo que se conoce como enfermedades psicosomáticas. Estas, según los médicos, surgen de la mente, y producen una reacción química en el organismo que termina por minarlo. Esto se debe a la reacción que nuestro cuerpo genera por sentimientos como odio, amargura, resentimiento, venganza, etc.

La realidad es mucho más compleja que una reacción química. Es un asunto espiritual. La iniquidad que el hombre viene arrastrando de generación en generación se ha metido en forma tan profunda, que afecta la genética o herencia de nuestro cuerpo físico.

Esta iniquidad con la que nacemos se acentúa en la medida que contaminamos nuestros corazones con todo tipo de perversidad y de pecado.

Como hemos visto anteriormente, el espíritu, el alma y el cuerpo están íntimamente entrelazados, por lo que la condición de los dos primeros es determinante para afectar el estado del organismo.

El Apóstol Juan dice en su tercera epístola:

"Amado, yo deseo que tú seas prosperado en todas las cosas y que tengas salud, así como prospera tu alma".

3 Juan 1:2

Un espíritu, lleno de la presencia de Dios, libre de iniquidad, y un corazón puro, purgado también de ésta; dará como resultado un cuerpo sano, con salud de "Reino". Lo opuesto tendrá como consecuencia un cuerpo doliente y propenso a enfermedades.

El Salmo 109:18 habla del hombre impío o el que tiene iniquidad, diciendo:

"Se vistió de maldición como de su vestido y entró como agua en sus entrañas y como aceite en sus huesos".

La iniquidad forma una especie de líquido tremendamente tóxico que se acumula en el organismo, deteriorando de esta manera los órganos y el estado general de la salud.

También se asienta en el interior de los huesos, debilitándolos, y afectando la calidad de la sangre. Recordemos que en la sangre se encuentra la vida, según la Biblia, y es en la médula ósea donde se produce la sangre. Todo tipo de enfermedades en la sangre, provienen de la iniquidad, tales como diabetes, leucemia, presión alta o baja, lupus, etc.

Otro ejemplo claro de esto es cómo la tristeza, que no es de Dios, produce muerte. (2 Corintios 7:10) Esta muerte va directamente a asirse de la iniquidad e inmediatamente penetrará los huesos.

"Ten Misericordia de mí ¡Oh! Jehová, porque estoy en angustia; se han consumido de tristeza mis ojos, mi alma y mi cuerpo. Porque mi vida se va gastando de dolor, y mis años de suspirar; se agotan mis fuerzas por causa de mi iniquidad, y mis huesos se han consumido".

Salmo 31:9-10

Enfermedades en los huesos y articulaciones, como osteoporosis, artritis, dolores reumáticos, son el resultado de la continua impregnación de esta secreción que proviene de la iniquidad. Vemos también la formación de tumores y dolor muscular agudo, como resultado de la acción en el cuerpo físico de esta herencia espiritual.

"No hay quien clame por la justicia, ni quién juzgue por la verdad; confían en vanidad, y hablan vanidades; conciben maldades, y dan a luz iniquidad. Incuban huevos de áspides, y tejen telas de arañas; el que comiere de sus huevos, morirá y si los apretaren saldrán víboras".

Isaías 59:4 - 5

Muchas veces mientras hacemos liberaciones, el Señor nos ha mostrado, cómo la iniquidad penetra en forma de estos huevos, y se forman tumores y cánceres que se multiplican haciendo metástasis (se expande a otros órganos). También se crean densas telarañas de tinieblas que se van entretejiendo en los músculos trayendo fuertes dolores y decaimiento físico.

4.- Iniquidad contra el Cuerpo

La iniquidad como ya hemos visto, se origina en el espíritu, de ahí pasa al alma formando estructuras de comportamiento y por último pasa al cuerpo enfermándolo y destruyendo sus funciones. Recordemos que la iniquidad es como una estafeta cada vez más deformada que se hereda de generación en generación.

Por lo tanto, todo hábito destructivo contra el cuerpo humano está relacionado con iniquidad. Vicios y desordenes pueden provenir de nuestras generaciones pasadas o pueden ser desarrolladas por nosotros mismos. Por ejemplo, el abuelo pudo haber sido fumador, entonces, el padre no sólo es fumador sino que alcohólico; el hijo le añade a estos vicios marihuana, mientras el nieto consume cocaína, heroína y crack a muy temprana.

Esta es una cadena que se va deformando hasta que alguien la rompe y redime la línea generacional con la sangre de Jesucristo, limpiando la línea sanguínea de iniquidad. Es importante recalcar que mientras los padres no reconozcan la causa del problema en sus hijos, nunca tendrán el poder y la autoridad para ayudarlos.

Otro ejemplo de iniquidad contra el cuerpo es el consumo de fármacos. En la actualidad, el consumo de drogas farmacológicas es socialmente aceptado. Así, la iglesia por ejemplo, no tiene problemas con la medicación, por lo que la mayoría de sus miembros consumen diversos medicamentos, no siempre diagnosticados por un médico. La pregunta es ¿Cuál es su origen? La medicina alópata consumida hoy, empezó en la forma de alquimia en la Edad Media. Su nombre en griego era "pharmakeia" y estaba regida por los dioses Esculapio (nombre griego) o Asclepio (nombre romano) e Higía, cuyos símbolos hoy representan la ciencia médica (el caduceo con dos serpientes enroscadas).

La palabra "pharmakeia" es usada por la Biblia para describir la hechicería, pero además, de la brujería se utiliza para drogadicción, tabaquismo (nicotina), alcoholismo y consumo de fármacos.

Jesucristo llevó nuestras enfermedades en la cruz de la misma manera que llevó el pecado y la iniquidad., por lo que el verdadero cristiano debe caminar hacia la liberación de la dependencia de los medicamentos. La madurez en Cristo nos debe conducir a depender 100% de su obra redentora.

Por otra parte, la medicina no tiene el poder para sanar, solo Dios puede sanar, esa es la verdad y esto lo saben médicos y compañías farmacéuticas. La medicina al igual que la brujería, le puede reducir temporalmente un mal, pero irremediablemente le traerá otro.

Con esto no quiero condenar a nadie que crea que tiene que tomar un medicamento, pero quiero mostrarle un camino mejor.

Por ejemplo, me encuentro con muchos padres atados a un botiquín de medicinas, orando por sus hijos que están sumergidos en el consumo de drogas. No me sorprende que no vean ningún resultado. Sus hijos estan huyendo de un dolor emocional a través de las drogas, mientras los padres solucionan sus dolores físicos y emocionales usando fármacos.

"Pharmakeia" es una forma de iniquidad que mina las células del cuerpo e inutiliza el sistema inmunológico. Por otro lado, la mayoría de nosotros no sabemos qué contienen esas atractivas píldoras que recetan los doctores, llenas de nombres raros en las que la gente confía. ¿Usted conoce el verdadero poder destructivo de la medicina? ¿Por qué se producen esos efectos secundarios que todos prefieren ignorar?

Si realmente nos comprometemos con Jesucristo para depender del poder curativo de Su Espíritu que mora en nosotros, ¿no cree que tendremos mejores resultados y sin efectos secundarios? No sólo le digo que SÍ FUNCIONA, sino que tendrá autoridad para vencer en su propia salud y en la de aquellos a los que ama.

La iniquidad se manifiesta también en el cuerpo a través de desordenes alimenticios. Hay gente que come demasiado, ignorando que están pecando contra su propio cuerpo, destruyendo el templo del Espíritu Santo. En Estados Unidos, por ejemplo, hay alrededor de 4 millones de personas que pesan más de 300 libras (136 kilos), otras 400 mil personas están por sobre las 400 libras (180 kilos). La causa que produce que alguien coma desmedidamente es iniquidad. Está es una raíz de autodestrucción, quizás generacional, que debe ser tratada para poder alcanzar libertad en esta área. Por lo tanto, es importante reconocer la glotonería como iniquidad, esto ofende a Dios y trae horribles consecuencias en el cuerpo.

Tal vez alguien entre sus ancestros destruyó su

cuerpo por medio del suicidio, o el tabaquismo, o la droga, y la iniquidad se está manifestando en su vida destruyendo su cuerpo con comida.

5.- La Iniquidad y el Cautiverio del Alma

Como vimos anteriormente, la iniquidad se manifiesta en el cuerpo físico como un agua y un aceite negros que enferman al cuerpo. Sin embargo, el origen de estas sustancias está en el espíritu del hombre.

En el mundo invisible la iniquidad dentro del ser humano afectará todo su medio ambiente. Esta fluye como una fuente desde el interior del ser como aguas cenagosas que ensucian todo a su alrededor, creando densos pantanos espirituales. Estos son atolladeros donde el alma queda atrapada y donde otros, aún justos se hunden como en un pozo sin salida.

Veamos esto en la palabra:

"Pero los impíos (todo en el cual hay iniquidad) son como el mar en tempestad, que no puede estarse quieto, y sus aguas arrojan cieno y lodo".   Isaías 57:20

Note en este próximo versículo como el justo es atrapado por la iniquidad colectiva:

"...Porque con nosotros están nuestras iniquidades y conocemos nuestros pecados: el prevaricar y mentir contra Jehová, y el apartarse en pos de nuestro Dios; el hablar calumnia y rebelión, concebir y proferir de corazón palabras de mentira. Y el derecho se retiró, y la justicia se puso lejos; porque la verdad tropezó en la plaza y la equidad no pudo venir, y la verdad fue detenida y EL QUE SE APARTÓ DEL MAL FUE PUESTO EN PRISIÓN; y lo vio Jehová y desagradó a sus ojos, porque pereció el derecho".   Isaías 59: 12-15

Espiritualmente estos lodos de iniquidad son arrojados sobre otros a través de palabras violentas, amenazas, calumnias, palabras perversas, acusaciones injustas y presiones de todo tipo. Hoy muchas situaciones estresantes provienen de iniquidad que se ha ido acumulando hasta que la persona literalmente siente que se ahoga. Personas con espíritus de control, oprimen y manipulan contaminando totalmente un lugar.

Problemas psicológicos como temor y claustrofobia provienen de esta condición en el ambiente espiritual. Muchas veces aunque éste haya cambiado, el alma puede haber quedado cautiva en el pasado y es necesario llevar a cabo una liberación. El rodearse de estas aguas genera muchas veces terror, pesadillas, aflicción de espíritu y gran desesperación.

"Está atento y respóndeme, clamo en mi oración y me conmuevo acerca de la voz de mi enemigo, por la opresión del impío; porque sobre mí echaron iniquidad y con furor me persiguen. Mi corazón esta dolorido dentro de mí y terrores de muerte sobre mí han caído. Temor y temblor vinieron sobre mí y terror me ha cubierto".

Salmo 55:2-5

Esta misma condición la vemos cuando el alma del salmista ha sido acosada por males, iniquidad ha sido echada sobre él, y su alma ha entrado en un cautiverio:

"Porque mi alma está hastiada de males, y mi vida cercana al Seol. Me has puesto en el hoyo profundo, en tinieblas, en lugares profundos.. Encerrado estoy y no puedo salir".   *Salmo 88: 3, 6, 8*

Cuando se ha tenido la bendición de ver el mundo espiritual, estos pozos y prisiones son lugares literales donde el diablo aprisiona una parte del alma para traer todo tipo de opresión y calamidad a nuestras vidas. El alma es llevada cautiva por causa de la iniquidad, pero también por situaciones traumáticas, o por fuertes acosos de gente impía, que la fragmentan y la atrapan.

"Porque sin causa escondieron para mí su red en un hoyo; sin causa cavaron hoyo para mi alma".   *Salmo 35:7*

Job también habla de estos hoyos cavados para el alma:

"También os arrojáis sobre el huérfano y caváis hoyo para el amigo".
                                                    Job 6:27

Estas prisiones de oscuridad no sólo son producidas por personas que nos arrojan iniquidad, odio y todo tipo de maldiciones, sino que por nuestra propia causa podemos caer atrapados en lugares de gran aflicción.

"Algunos moraban en tinieblas y en sombra de muerte, aprisionados en aflicción y hierros, por cuanto fueron rebeldes a las palabras de Jehová y aborrecieron el consejo del Altísimo. Fueron afligidos los insensatos a causa de sus maldades, su alma abominó todo alimento, y llegaron hasta las puertas de la muerte".
                                        Salmo 107: 10,11 y 17,18

En este lugar también son atrapados los que no dan la gloria a Dios:

"Escuchad y oíd; No os envanezcáis pues Jehová ha hablado. Dad gloria a Jehová Dios vuestro, antes que haga venir tinieblas, y antes que vuestros pies tropiecen en montes de oscuridad, y esperéis luz y os la vuelva sombra de muerte y tinieblas. Mas si no oyeres esto, en secreto llorará mi alma a causa de vuestra soberbia; y

llorando amargamente se deshagan mis ojos en lágrimas, porque el rebaño de Jehová fue hecho cautivo".

Jeremías 13:16,17

La forma de sacar un alma de estos pozos, es recordando primeramente que todo tiene que ser dirigido por el Espíritu Santo. Hay que pedirle a Dios que nos permita liberar el alma de estos lugares y que nos muestre por Su Espíritu, qué fue lo que ocasionó este cautiverio.

EL Señor mostrará por medio de los dones del Espíritu como se generó esta situación. Entonces habrá que pedir perdón en el caso de pecado, de iniquidad o de rebelión. Perdonar a los que nos hayan hecho daño y por último ordenar al ama cautiva que "SALGA A LIBERTAD" y a los que estén en regiones de tinieblas que "SE MUESTREN" y que "SALGAN DE LAS TINIEBLAS A LA LUZ".

"Así dijo Jehová: En tiempo aceptable te oí, y en el día de salvación te ayudé; y te guardaré y te daré por pacto al pueblo, para que restaures la tierra, para que heredes asoladas heredades; Para que digas a los presos: salid; y a los que están en tinieblas: Mostraos. En los caminos serán apacentados y todas las alturas tendrán sus pastos".

Isaías 49:8-9

En sesiones de liberación, los tomamos de las

manos y hacemos un movimiento como si literalmente los estuviéramos sacando de un hoyo. Espiritualmente, tanto el liberador como el libertado experimentan una sensación de victoria y de libertad. Entonces le pedimos a Dios que tome esa alma que estaba atrapada en tinieblas y que la siente en lugares celestiales para ahora ser apacentada por su Santo Espíritu. Los resultados que se obtienen tras una liberación de este tipo son maravillosos.

Recomiendo leer mi libro "Regiones de cautividad"[1] en el cual profundizo grandemente sobre este tema.

6.- La Iniquidad y los Torrentes de Perversidad

Como vimos en el inciso anterior, la iniquidad se manifiesta en el mundo espiritual como lodos cenagosos que son arrojados sobre una persona, justa o no y que muchas veces causan profunda opresión.

"Está atento y respóndeme, clamo en mi oración y me conmuevo acerca de la voz de mi enemigo, por la opresión del impío; porque sobre mí echaron iniquidad y con furor me persiguen".   *Salmo 55:2-4*

Estos lodos llegan a ser pantanos espirituales o torrentes de perversidad enviados por el diablo para

1 Méndez Ferrell, Ana: "Regiones de Cautividad", Voice of The Light Ministries, 3ª Edición, 2008, pp. 224,

arrasar con una persona o hundirla en una circunstancia. En contadas ocasiones, el rey David se encontró rodeado de estas aguas cenagosas que literalmente lo estaban ahogando.

"Sálvame oh Dios porque las aguas han entrado hasta el alma, estoy hundido en cieno profundo donde no puedo hacer pie; he venido a abismos de aguas, y la corriente me ha anegado. Estoy cansado de llamar, mi garganta se ha enronquecido; han desfallecido mis ojos esperando a mi Dios. Se han aumentado más que los cabellos de mi cabeza los que me aborrecen sin causa..."

Salmo 69: 1-4

Este lodo cenagoso es real en el mundo espiritual y crea fosos, de los cuales sólo con el poder de Dios se puede salir. Estas son situaciones en las que nos sentimos desesperados porque parece no haber salida, no hay donde hacer pie, y pareciera que entre más nos esforzamos por salir, más nos hundiéramos.

Personas con grades deudas están en estos pantanos, así como los que se enredaron en un negocio que terminó en una demanda o un juicio que amenaza con destruirlo todo.

Gente que tiende a mentir facilmente caen presa de situaciones que se enredan cada vez más, ahogando a la persona en un torrente de perversidad.

Estos torrentes también se manifiestan cuando el maligno envía calumnias para destruir totalmente a alguien.

El rey David clama a Dios en una situación semejante en que es terriblemente oprimido por la iniquidad de sus enemigos:

"Me rodearon ligaduras de muerte, y torrentes de perversidad (iniquidad) me atemorizaron. Ligaduras del Seol me rodearon, me tendieron lazos de muerte".

Salmo 18: 4-5

En esta escritura vemos cómo se levantó un río de amenazas y estrategias de muerte que tenían al Rey David preso de terror. Esto lo vemos cuando alguien justo se encuentra atrapado en un medio corrupto que quiere eliminarlo. Brujos y hechiceros envían estos torrentes de destrucción en contra de iglesias y ministerios para derribarlos o destruirlos.

"Y temerán desde el occidente el nombre de Jehová, y desde el nacimiento del sol su gloria; porque vendrá el enemigo como río, mas el Espíritu de Jehová levantará bandera contra él".   **Isaías 59:19**

Gloria a Dios que tenemos un Padre en los cielos más poderoso que todo el mal que se quiera fraguar en contra nuestra.

"Así dice Jehová, tu Redentor, que te formó desde el vientre: Yo Jehová, que lo hago todo, que extiendo solo los cielos, que extiendo la tierra por mí mismo; que deshago las señales de los adivinos, y enloquezco a los agoreros; que hago volver atrás a los sabios, y desvanezco su sabiduría. Yo, el que despierta la palabra de su siervo, y cumple el consejo de sus mensajeros; que dice a Jerusalén: Serás habitada; y a las ciudades de Judá: Reconstruidas serán, y sus ruinas reedificaré; que dice a las profundidades: Secaos, y tus ríos haré secar..."

Isaías 44:24-27

Quiero que note una estrategia divina en este pasaje, porque quizás se encuentre pasando por una situación semejante en su salud, en sus finanzas, en su ministerio, o en su familia.

Primero Dios despierta la palabra en su boca. Esto significa que Él quiere ungirlo para deshacer las obras del diablo que le están ahogando. Luego, el Señor deshace estos torrentes y ríos de perversidad usando nuestra voz para ordenar que se sequen estos pozos desde su origen en las profundidades.

Cuando entienda cómo actúa la iniquidad y cómo desarraigarla de su vida y de sus caminos, la Gloria de Dios resplandecerá y Él hará pacto con su descendencia.

"Y vendrá el Redentor a Sión, y a los que se volvieren de la iniquidad en Jacob, dice Jehová. Y este será mi pacto con ellos, dijo Jehová: El Espíritu mío que está sobre ti, y mis palabras que puse en tu boca, no faltarán de tu boca, ni de la boca de tus hijos, ni de la boca de los hijos de tus hijos, dijo Jehová, desde ahora y para siempre".

Isaías 59:20-22

7.- La Iniquidad, la Ruina y Escases Financiera

La iniquidad como hablamos en un principio, tiene su origen en Luzbel. Fue el pensamiento torcido que penetró su corazón haciéndolo creer que podía ser semejante a Dios. Esto sucedió por la abundancia de sus riquezas.

En los capítulos 27 y 28 de Ezequiel la Biblia habla del poder de las contrataciones comerciales que él hacía y se refiere a él como el Rey de Tiro; ya que esta ciudad fue capital del comercio en su tiempo. **La caída de satanás está íntimamente ligada al comercio y a la riqueza.** Es de este amor al lucro que él hace surgir Babilonia, la ciudad espiritual a través de la cual él gobierna los reinos del mundo.

"Y me llevó en el Espíritu al desierto; y vi una mujer sentada sobre una bestia escarlata llena de nombres de blasfemia, que tenía siete cabezas y diez cuernos. Y la mujer estaba vestida de púrpura y escarlata, y adornada

de oro y piedras preciosas y de perlas y tenía en su mano
un cáliz lleno de de abominaciones y de la inmundicia de
su fornicación; y en su frente un nombre: Babilonia la
grande, la madre de las rameras y de las abominaciones
de la tierra.... Y la mujer que has visto es la gran ciudad
que reina sobre los reyes de la tierra".

Apocalipsis 17:3-5 y 18

Hay una parte del comercio y de la riqueza que es justa y necesaria para los pueblos de la tierra. Sin embargo, la iniquidad –la semilla del diablo– fue tomada como terreno fértil para desarrollar su suprema maldad. Todas las naciones han participado de su seducción y, por ende, están atrapadas en sus redes.

"Porque todas las naciones han bebido del vino del furor
de su fornicación; y los reyes de la tierra han fornicado
con ella, y los mercaderes de la tierra se han enriquecido
de la potencia de sus deleites. Y oí otra voz que decía:
Salid de ella pueblo mío, para que no seáis partícipes de
sus pecados, ni recibáis parte de sus plagas..."

Apocalipsis 18:3-4

El comercio y la riqueza llegan a tener tal ESPLENDOR que se transforman en la puerta por la que penetra la iniquidad. Este esplendor es una gloria que no es de Dios. Es un brillo y una sensación de seguridad artificial, de poder, que se levanta para competir y tomar el lugar de Dios. Es un esplendor que fascina y seduce a los ojos del mundo.

La riqueza produjo en el corazón de Luzbel una narcosis, un embelesamiento de sí mismo en el cual empezó a creer que el poder de su abundancia lo ponía a la par con el Altísimo.

"A causa de la multitud de tus contrataciones (comerciales) fuiste lleno de iniquidad, y pecaste; por lo que yo te eché del monte de Dios, y te arrojé de entre las piedras de fuego, oh querubín protector. Se enalteció tu corazón a causa de tu hermosura, corrompiste tu sabiduría a causa de tu ESPLENDOR, yo te arrojaré por tierra; delante de los reyes te pondré para que miren en ti".

Ezequiel 28:16-17

Esta iniquidad formada en el corazón de satanás, debido a la belleza y esplendor que produjeron sus tesoros, trastornaron todo su enfoque santo con respecto a las riquezas. A partir de este momento, todo se distorsionó dentro de él, creyendo que al poseer el oro, la plata y las piedras preciosas tenía un poder que haría que Dios ya no fuera necesario para él.

Este mismo pensamiento también está sembrado en el corazón de los hombres, es esa semilla satánica la que heredamos en nuestro nacimiento.

Desde el principio de los tiempos, el hombre -en su iniquidad- ha buscado más el oro que a Dios. El comercio ha sido impregnado con iniquidad en todas las formas posibles, y en mayor o menor grado esto es una constante en la línea generacional sanguínea de casi todos los hombres.

Por amor a las posesiones, los pueblos se han matado entre sí. A través de los siglos, el oro ha sido manchado de sangre una y otra vez.

¡El que más tiene es el más poderoso! Este ha sido el eslogan por excelencia de todas las civilizaciones occidentales. El oro ha sido buscado para ser ofrecido a los dioses paganos en casi todas las culturas. Este ha sido y es el símbolo de poder de los reinos de Europa y el mundo.

Todo tipo de pactos satánicos, brujería y alta magia rodean las riquezas del mundo. Las más abominables organizaciones del alto y del bajo crimen se originan del amor y de la búsqueda de la riqueza.

Aún millones de cristianos ponen mucho más énfasis en la búsqueda personal de la riqueza que en Dios. Nuestras iglesias están llenas de iniquidad, ya que el pueblo está afanado en los bienes materiales y la comodidad de este mundo, olvidándose de los pobres de la tierra. Para la Iglesia son más importantes las joyas y los vestidos visibles que los invisibles.

Para el Cuerpo de Cristo ha sido prioritario luchar con sacrificio para obtener algo de este mundo, que colocar nuestra vida en sacrificio para alcanzar niveles mayores en Dios. ¡Estamos llenos de iniquidad!

Cuando nuestras posesiones, nuestro sueldo, o nuestro negocio son nuestra seguridad y no Dios, entonces hemos caído en las mismas contrataciones que hicieron caer a Luzbel.

La economía del mundo está llena de iniquidad y de derramamiento de sangre. Por dinero se hacen guerras, se venden armas a grupos terroristas, se deja morir de hambre a naciones enteras, solamente para mantener un precio en el mercado.

Los sistemas bancarios son corruptos y están llenos de usura y de mentira. Los gobiernos venden su integridad por dinero. La justicia también es corrupta. Con oro se silencia el homicidio, se persigue al desamparado y se hacen fraudes por el dinero de los ciudadanos. Este es un sistema lleno de inmundicia, de fornicación, de robo, de mentira y de falsedad. No creo estar equivocada si digo que el mayor número de pecados se cometen en torno al dinero, mientras el diablo teje vendas mágicas para justificar todo tipo de pecado en el área financiera.

Por otra parte, se roba a Dios por todos lados, en diezmos y ofrendas, el que no tiene justifica la mentira y el fraude al hermano. Es tan fácil que alguien te pida prestado y nunca más lo vuelvas a ver, porque es más importante el dinero que la amistad.

Es en el rubro de las finanzas en el que he encontrado menos temor hacia Dios. Y lo que la gente no sabe es que al refugiarse en el dinero y servirle estás haciendo un pacto directo con la muerte.

Fíjese como la iniquidad alrededor de las riquezas está íntimamente ligada a espíritus de muerte:

"¿Por qué he de temer en los días de adversidad, cuando la iniquidad de mis opresores me rodeare? Los que confían en sus bienes (ricos o pobres) y de la muchedumbre de sus riquezas se jactan... Este su camino es locura; Con todo sus descendientes se complacen en el dicho de ellos. Como a rebaños que son conducidos al Seol, la muerte los pastoreará y los rectos se enseñorearán de ellas por la mañana, se consumirá su buen parecer y el Seol será su morada. Pero el Señor redimirá mi vida del poder del Seol, porque él me tomará consigo".

Salmo 49:5-6 y 13-15

El Seol es el lugar de los muertos. Sin embargo, en este Salmo, se observa como este lugar ejerce una influencia y un poder aún sobre los vivos. De la misma manera que el cielo ejerce su poder sobre justos e injustos también la muerte es un imperio que cautiva y pastorea a los que están sujetos a ella a través de la iniquidad, la rebelión y el pecado.

El dinero que debiera ser tan solo un instrumento, para muchos es un refugio que Dios ya ha empezado a juzgar; por eso dice: ¡Salid de ahí pueblo mío!, refiriéndose a la estructura financiera babilónica.

"Por cuanto habéis dicho: Pacto tenemos hecho con la muerte, e hicimos convenio con Seol; cuando pase el turbión del azote no llegará a nosotros, porque hemos puesto nuestro refugio en la mentira; y en la falsedad nos esconderemos...Y ajustaré el juicio a cordel y a nivel la justicia; y granizo barrerá el refugio de la mentira y aguas arrollarán el escondrijo". Isaías 28:15 y 17

Confiar en las riquezas no es tan solo algo que se atribuye solo a los ricos y poderosos, sino a todo aquel que dependa del dinero, de su sueldo, de sus ahorros, o de sus seguros como fuente de sustento y seguridad.

La iniquidad financiera atrae en forma poderosa juicios de ruina.

"Por tanto yo os juzgaré a cada uno según sus caminos, oh

casa de Israel, dice Jehová el Señor. Convertíos y apartaos de todas vuestras transgresiones y no os será la iniquidad causa de ruina".   *Ezequiel 18:30*

Esto lo he visto muchas veces, tanto en forma individual como en colectiva. En mi propia vida, he visto como en mi familia -desde mis abuelos-, todos de una posición financiera buena, han caído en ruina sin excepción alguna. Cuando yo llegué al Señor, era tremendamente pobre y cada vez que recibía una fuerte bendición económica, de inmediato el diablo me la arrebataba. Fui despojada muchas veces de cosas que legítimamente me pertenecían. Aún la herencia tanto de mi padre como la de mi madre, las dos me fueron quitadas injustamente.

No sabía que estaba pasando. No fue sino hasta que empecé a entender la iniquidad que pude cambiar el curso de mi destino. Un día le pedí al Señor que me mostrara la iniquidad financiera en mi línea generacional. Tuve un sueño en que vi a uno de mis abuelos cometiendo un fraude tremendo con uno de sus socios; este lo maldijo y declaró que todas sus generaciones sufrirían ruina.

Cuando me desperté, lo primero que hice fue pedir perdón por la iniquidad y el pecado de mi abuelo y cancelar la maldición poniendo el sacrificio de Cristo entre mi abuelo y sus descendientes. Luego empecé a sondear todas las áreas en que yo hubiera pecado poniendo mi confianza en la riqueza o cualquier otro pecado en el área del dinero que hubiera podido cometer. Y pedí perdón.

A partir de ese día Dios me ha devuelto todo lo que el diablo se robó y la bendición de Jehová permanece sobre mi vida.

Como ya se dijo, las riquezas y las contrataciones comerciales produjeron el orgullo y la caída de satanás, es por ello que él siempre busca infiltrarse en esta área. Por esta causa es importante analizar el origen de toda actividad comercial y detectar la posible fuente de iniquidad que tarde o temprano traerá ruina.

Por ejemplo muchos negocios son consagrados a ídolos, en otros pudo haber sido el despojo injusto de alguna persona. También se dan casos en que se usó dinero sucio. En otros se pudo haber hecho una sociedad con alguien impío, cuyo pecado está afectando el negocio. Hay negocios hechos con mercancías ilegales, o con abuso de empleados, o con medidas injustas, o fórmulas mentirosas. También puede existir cohecho en la obtención de permisos.

A veces se puede estar vendiendo un producto falsificado o estar ofreciendo una calidad al promover el producto y dar otra al entregarlo.

En fin los casos son muy diversos y todos dignos de analizar. Muchas personas piensan que Dios quiere bendecirles económicamente sin importar los medios. He visto muchos abusos hechos por gente que se llama cristiana sobre inconversos, escudándose en que el dinero de los pecadores pasará a manos de los justos, como lo estipula Proverbios 13:22.

Hoy, muchos métodos de mercadotecnia están llenos de mentira y engaño con tal de atrapar al cliente de inmediato.

Todo esto es muy serio delante de Dios y hace que no escuche nuestras oraciones.

"He aquí no se ha acortado la mano de Jehová para salvar, ni se ha agravado su oído para oír; pero vuestras iniquidades han hecho división entre vosotros y vuestro Dios, y vuestros pecados han hecho ocultar vuestro rostro para no oír. Porque vuestras manos están contaminadas de sangre y vuestros dedos de iniquidad (obras de nuestras manos); vuestros labios pronuncian mentira, habla maldad vuestra lengua. No hay quién clame por la justicia, ni quién juzgue con la verdad; confían en vanidad, y hablan vanidades; conciben maldades y dan a luz iniquidad". Isaías 59:1-2 (paréntesis añadido)

Al inquirir con Dios sobre la iniquidad encontré algunas cosas que parecen nobles y comunes pero que su origen es inicuo.

Como dijimos anteriormente comprar y vender o tener un negocio no es nada malo, pero cuando se está proyectando una ganancia desmedida causando inflación, eso es iniquidad. Al hacer esto, la persona está siendo llevada por la codicia, provocando que un producto necesario sea difícil de adquirir por el pueblo de Dios o la población en general.

Hay cristianos que promueven compañías de multiniveles y dejan de ver a la iglesia como la familia de Dios para hacerla la fuente de sus ganancias. Estas personas ya no se relacionan con otros por amor o servicio a Dios, sino porque les representan un flujo de ingresos; eso es iniquidad. El problema no es el multinivel, sino cambiar el propósito de la comunión de los santos por lucro personal.

Dios quiere bendecirnos y lo hará en la medida **que seamos la respuesta para ayudar y solucionar los problemas de nuestro prójimo.**

Para salir de esta situación hay que confesar nuestro pecado y nuestra iniquidad, y en caso de haber agraviado a alguien es necesario restituirle en la medida de lo posible. Habrá casos que será imposible. En el caso de que se esté haciendo algo indebido, hay que enderezar el curso y dejar de hacer lo malo, ya que esto tarde o temprano traerá ruina sobre la persona y sobre sus descendientes.

8.- La Iniquidad y la Obstinación

"Porque como pecado de adivinación es la rebelión, y como ídolos e idolatría la obstinación. Por cuanto tú desechaste la palabra de Jehová, él también te ha desechado para que no seas rey. Entonces Saúl dijo a Samuel: Yo he pecado; pues he quebrantado el mandamiento de Jehová y tus palabras, porque temí al pueblo y consentí a la voz de ellos. Perdona, pues, ahora mi pecado..."

1 Samuel 15:23-24

El orgullo fue el pecado que introdujo la iniquidad en el corazón de Luzbel, éste va de la mano con la obstinación. Una persona obstinada o terca es la que hace de su propia opinión un ídolo.

Ésta llega a ser tan fuerte cuando se trata de alguna tradición o una forma teologíca de pensar que literalmente ya no dejan a Dios intervenir. Tal es el caso de los fariseos y los religiosos actuales, quienes se han hecho ídolos de sus opiniones y doctrinas de hombres que han quedado ciegos y sordos a la voz de Dios.

El Señor está continuamente revelando nuevas cosas y dándonos luz sobre otras que conocíamos parcialmente. Métodos y revelaciones que fueron gloriosas en el pasado, quizás el eje de un avivamiento, Dios las puede transformar o completar.

Si estamos tan atados a una forma de pensar o a una revelación o doctrina que no nos permitimos ni que Dios la toque, estamos ante un caso de iniquidad por obstinación y necesitamos arrepentirnos.

Dios tiene que ser soberano en cada minuto de nuestra vida.

No perdamos nunca la humildad que le permite a Dios moldearnos y usarnos como quiera.

9.- La Iniquidad y el Asolamiento de las Ciudades

La iniquidad no solo afecta la vida de una persona, sino que se constituye en el fundamento de maldición y destrucción de ciudades.

Desde que el hombre cayó en pecado, y la iniquidad entró a formar parte de su ser, **la tierra absorbió esta semilla de maldad quedando maldita desde entonces.**

"Y al hombre dijo: Por cuanto obedeciste a la voz de tu mujer, y comiste del árbol de que te mandé diciendo: No comerás de él, maldita será la tierra por tu causa; con dolor comerás de ella todos los días de tu vida".

Génesis 3:17

A partir de ese momento, toda la creación gime por ver la manifestación gloriosa de los hijos de Dios. El Señor nos dio la tierra y aunque perdimos el señorío de ella, es nuestra responsabilidad declarar su redención a través del sacrificio que Jesús hizo por nosotros. Si bien hemos sido maldición para la tierra, también podemos ser bendición y comer de ella con paz y con gozo.

La iniquidad no solo penetró la tierra en ese momento de la caída, sino que nuestra propia iniquidad trae sobre ella toda forma de mal.

"Oh congregación, ¿pronunciáis en verdad justicia? ¿Juzgáis rectamente hijos de los hombres? Antes en el corazón maquináis iniquidades; hacéis pesar la violencia de vuestras manos en la tierra".   *Salmo 58:1-2*

Ciudades enteras son fundadas a través de consagraciones territoriales a dioses paganos, diseños masónicos, geometría mágica, y horrendos sacrificios y derramamientos de sangre.

Todo esto repercute en el desarrollo de una ciudad siendo necesario redimir sus fundamentos para transformarla.

"¡Ay del que funda una ciudad con sangre, y del que funda una ciudad con iniquidad!"   *Habacuc 2:12*

De la misma manera que individualmente la iniquidad cava hoyos para atrapar las almas, ciudades enteras son sometidas, hundidas en tinieblas, violencia y corrupción.

"Se hundieron las naciones en el hoyo que hicieron; en la red que escondieron fue tomado su pie".   *Salmo 9:15*

Por eso es necesario que los justos hagan justicia, y que su oración y sus obras sanen las ciudades.

"Y confesarán su iniquidad y la iniquidad de sus padres, por su prevaricación que prevaricaron contra mí; y también porque anduvieron conmigo en oposición; yo también habré andado contra ellos, y los habré hecho entrar en la tierra de sus enemigos; entonces se humillara su corazón y reconocerán su pecado. Entonces yo me acordaré de mi pacto con Jacob, y así mismo de mi pacto con Isaac, y también de pacto con Abraham me acordaré y haré memoria de la tierra".   *Levítico 26:40-42*

9.a Iniquidad Cultural

Hay iniquidad que proviene de nuestras culturas. Acciones colectivas de maldad que indirectamente se arraigaron en el alma y en el espíritu de los pueblos. Éstas pueden ser genocidios, como el que cometieron los Españoles y los Portugueses con los indígenas latinoamericanos o las terribles masacres hechas por los Ingleses cuando conquistaron Los Estados Unidos. Podemos hablar también de la Inquisición Española, o de las incontables muertes que produjeron las cruzadas en Europa y en Medio Oriente.

Toda esta sangre derramada es iniquidad que quedó impregnada en nuestra herencia espiritual.

Por otro lado tenemos también la iniquidad que es inherente a la idiosincracia (pensamiento nacional) de una nación. La corrupción y la desidia en Latinoamérica junto con la irresponsabilidad y la forma fraudulenta de hacer tantas cosas son claros ejemplos de ello. Estas están tan arraigadas y son tan comunes que ni siquiera reparamos en que constituyen iniquidad.

Pensamientos como: "El fin justifica los medios", "Según el sapo es la pedrada", "Al fin ni se van a dar cuenta" y tantos como estos refranes, reflejan lo torcida que está nuestra sociedad. La mentira, el engaño y la venganza forman parte de la iniquidad de muchas naciones.

La gente hace pactos de iniquidad con el diablo sin ni siquiera darse cuenta, cada vez que llamamos a lo bueno, malo y a lo malo, bueno. Otro caso es cuando aceptamos como parte de la cultura ritos abominables a dioses paganos y aún compramos figurillas de civilizaciones ancestrales cargadas de demonios.

Celebraciones como el día de los muertos, Halloween, las saturnalias romanas disfrazadas de navidad, la pascua infectada de sincretismos con los conejitos y los huevos son manifestaciones de estos ritos.

La lista de las cosas con que nos ligamos a la iniquidad como pueblos con sus culturas es interminable. Cada uno según su país de origen, tiene que pedir perdón por su nación y purgar de su vida todo pacto e iniquidad que está en su sangre por causa de su cultura y de su raza.

9.b Iniquidad Religiosa

Las religiones están cargadas de iniquidad, porque son una obra de la carne. Todo sistema religioso es en esencia Babilónico y se opone al único Dios verdadero. Los que venimos de un trasfondo religioso cualquiera que sea, tenemos que desarraigar de nosotros la iniquidad que entró a través de sus rituales o sus tradiciones.

Aquellos que venimos del sistema Bailónico Romano debemos romper todo vínculo con la idolatría, la magia y el ocultismo. No basta sólo con dejar atrás sus prácticas, tenemos que limpiarnos de la iniquidad con que quedó impregnado nuestro espíritu. Fuimos pactados a dioses paganos disfrazados de vírgenes y santos bebiendo así de la copa de sus abominaciones.

"Vino entonces uno de los siete ángeles que tenían las siete copas, y habló conmigo diciéndome: Ven acá, y te mostraré la sentencia contra la gran ramera, la que está sentada sobre muchas aguas; con la cual han fornicado los reyes de la tierra, y los moradores de la tierra se han embriagado con el vino de su fornicación".

Apocalipsis 17:1-2

Hay que romper los pactos hechos con estos demonios.

"¿Qué digo, pues? ¿Que el ídolo es algo, o que sea algo lo que se sacrifica a los ídolos? Antes digo que lo que los gentiles sacrifican, a los demonios lo sacrifican, y no a Dios; y no quiero que vosotros os hagáis partícipes con los demonios. No podéis beber la copa del Señor, y la copa de

los demonios; no podéis participar de la mesa del Señor,
y de la mesa de los demonios. ¿O provocaremos a celos al
Señor? ¿Somos más fuertes que él?"   1 Corintios 10:19-22

No sólo las religiones paganas estan plagadas de iniquidad sino también desgraciadamente el Cristianismo actual.

Al escribir mi libro sobre la Masonería: "El Oscuro Secreto de G.A.D.U"[2] me dí cuenta que hay una gran cantidad de pastores, obispos y miembros de la Iglesia Evangélica tradicional involucados en esta Orden (Bautistas, Metodistas y Presbiterianos). La mayoría de ellos están engañados e ignoran lo que sucede en las altas esferas de la Orden, pero no por eso están excentos de sus maldiciones y de los torrentes de perversidad que atraen a sus vidas.

La Masonería es un culto abierto a Lucifer, y todas las ovejas que están bajo un pastorado masónico están recibiendo la iniquidad que procede de esta "sociedad secreta".

(Recomiendo la lectura de mi libro para ser libre de sus pactos y sus maldiciones)

Aclaro que no todas las Iglesias Tradicionales se encuentran en esta situación.

---

2 Méndez Ferrell, Ana: "El Oscuro Secreto de G.A.D.U", Voice of The Light Ministries, 1ª Edición, 2009, pp. 232·

Por otro lado hay personas que han formado parte de religiones ancestrales con sus ritos y dioses. Esto necesariamente tiene que ser quebrantado y liberado.

10.- La Iniquidad y el Agravio

El agravio es la injusticia hecha a una persona en la cual ésta es deshonrada o despojada. Es una afrenta o una ofensa de gran envergadura.

La presencia de la iniquidad en una persona trabaja como un poderoso imán que atrae el agravio y toda forma de injusticia. Una de las maneras en que se manifiesta la iniquidad es a través de la lengua. Lo que habla nuestra lengua determina muchas de las maldiciones o bendiciones que recibimos.

"La muerte y la vida están en poder de la lengua y el que la ama comerá de sus frutos".   Proverbios 18:21

La lengua también es el detector para saber lo que hay en el corazón, como bien lo expresa Lucas 6:45:

"...de la abundancia del corazón habla la boca".

Un corazón cargado de iniquidad continuamente habla mal de otras personas. No cuidan su forma de hablar, maldiciendo a diestra y siniestra. Causan divisiones y ofenden como si tuvieran puñales en la boca. Son gente negativa, exclusivista y con gran ira y amargura interna.

Esto proviene de múltiples agravios e injusticias que continuamente vienen sobre ellos y la razón es que la misma iniquidad está produciendo un ciclo vicioso.

Personas que han sido profundamente rechazadas, pareciera como que atraen más y más rechazo sobre ellas. Esto es por causa de que están atrapadas en redes de iniquidad. Esto es una ley espiritual que no se puede detener hasta que sea desarraigada la iniquidad de la persona y de su línea generacional.

En gente que ha sido abusada de alguna forma o han sufrido de un ataque incestuoso, continuamente estarán atrayendo agravio y deshonra sobre sus vidas. Son víctimas de toda injusticia, como una marca indeleble que las persigue.

En el caso de incesto (relaciones sexuales con un familiar) la iniquidad es tan fuerte que atrae todo tipo de maldiciones, tales como las descritas en Deuteronomio 28. Una persona abusada en este sentido tiene que perdonar y pedir perdón por los pecados de sus antepasados. Con toda seguridad hay muchos casos semejantes en la línea familiar que fueron los que arrastraron al padre o al pariente a cometer tal aberración.

*"¿No tienen conocimiento todos los que hacen iniquidad,
Que devoran a mi pueblo como si comiesen pan, y a Dios
no invocan?"*   *Salmo 53:4*

Para salir de este ciclo de injusticias y agravios es
necesario buscar primeramente en nuestros
corazones donde hemos sido injustos con otros.
Después de esto pedir revelación si se desconoce el
caso donde se origina este pecado y esta iniquidad y
pedir perdón a Dios por la iniquidad de nuestros
antecesores.

Cuando hemos cometido agravio contra otros,
cuando nuestra lengua ha difamado, o hemos
abusado trayendo gran dolor y causando heridas
profundas en nuestros semejantes, es necesario traer
restitución. Arrepentirse ante Dios, es el primer paso,
pero no arrancará la semilla de iniquidad que hemos
sembrado en contra de nosotros mismos hasta que
pidamos perdón y hagamos un bien que recompense
el mal que ocasionado.

*"Lavaos y limpiaos; quitad la iniquidad de vuestras manos
de delante de mis ojos; dejad de hacer lo malo; aprended
a hacer el bien; buscad el juicio, restituid al agraviado,
haced justicia al huérfano, amparad a la viuda".*
                                            Isaías 1:16 -17

11.- La Iniquidad y el Espíritu de Fornicación

Una de las obras de iniquidad que Dios más aborrece **es la adoración de ídolos.** El inclinarse y servir dioses ajenos. En América Latina estos están hechos en forma de imágenes talladas, en Europa y Norte de América son dioses invisibles, como el dinero, la comodidad y la cultura; aunque también se adoran imágenes.

Desgraciadamente **la idolatría es el principio de una cadena de complicaciones y pecados, dirigida por el espíritu de fornicación.**

Hoy por hoy las naciones están invadidas del más descarado libertinaje y depravación sexual de la historia. Aún en la misma Iglesia los pecados de adulterio, pornografía y fornicación proliferan por todos lados, y en general, el pueblo de Dios ha perdido temor de Él.

Mi corazón desfallece en oración por esta causa, porque veo iglesias abundando en palabra, unciones de diversos tipos, profecía y tantas misericordias de Dios, pero pareciera que no hay nada que haga cambiar los corazones de millones de cristianos.

Desde luego que hay gente hermosa en Cristo, santa y temerosa de Dios, pero el grueso del pueblo permanece impávido. Esto se debe a que las naciones están llenas de iniquidad idolátrica. En la mayoría de los casos la gente, por lo menos en Hispano América, deja los ídolos de madera, pero quedan atrapados en este espíritu de fornicación, que les impide conocer plenamente a Dios.

"Fornicación, vino y mosto quitan el juicio. Mi pueblo a su ídolo de madera pregunta, y el leño le responde; porque espíritu de fornicaciones lo hizo errar, y dejaron a su Dios para fornicar.   Sobre las cimas de los montes sacrificaron, e incensaron sobre los collados, debajo de las encinas, álamos y olmos que tuviesen buena sombra; por tanto, vuestras hijas fornicarán y adulterarán vuestras nueras. No castigaré a vuestras hijas cuando forniquen, ni a vuestras nueras cuando adulteren; porque ellos mismos se van con rameras, y con malas mujeres sacrifican; por tanto el pueblo sin entendimiento caerá" "No piensan en convertirse a su Dios, porque espíritu de fornicación está en medio de ellos, y no conocen a Jehová".

Oseas 4:11-14 y 5:4

Note cómo, donde hay o ha habido idolatría, se desata este espíritu de fornicación. Por eso es importante desarraigar la iniquidad a fondo y con precisión. Los arrepentimientos generalizados solo tratan con la superficie, pero la raíz y la esencia del problema siguen inconclusos, por lo que tarde o temprano se manifestarán estos pecados sexuales.

La fornicación no está relacionada únicamente con asuntos físicos, sino que es una condición de iniquidad, que impide que la gente conozca a Dios íntimamente y se convierta a Él con todo su corazón.

Esto se manifiesta con gente que quiere sentir experiencias agradables con el Espíritu Santo; quieren el calor de una relación, pero no el compromiso de un matrimonio con Dios.

Cuando se da el caso de este tipo de iniquidad, las personas son continuamente perseguidas por sueños y pensamientos terriblemente obscenos. He conocido mucha gente desesperada con esta situación que simplemente no sabe qué hacer para ser libre.

La solución es tomar papel y lápiz y hacer una lista detallada de ídolos que hayan sido adorados por ellos o sus familias. Anotar qué pactos se hicieron con dichas imágenes, o espíritus, y qué promesas u ofrendas fueron hechas. Solamente así se pide perdón a Dios y se ordena a la iniquidad salir de sus vidas.

Por otro lado hay que elaborar una lista de todas las situaciones donde haya habido interacción de sexualidad fuera del matrimonio, pornografía, masturbación, incesto, adulterio, etc. Es importante ser minuciosos y específicos. Hay veces –en el caso de una vida promiscua– que resulta difícil recordar todos los nombres. Sin embargo, todo está registrado en nuestro espíritu y el Espíritu Santo es poderoso para recordarnos cada caso. Quizás no lo hará de una vez, sino que tomará varias semanas. Está bien, lo importante es que lo hagamos y entonces gozaremos de una hermosa libertad y una poderosa intimidad con nuestro amado Dios.

Una vez hecho esto, es importante declarar libertad sobre nuestros descendientes.

13.- La Iniquidad y las Maldiciones

Tanto las bendiciones como las maldiciones son leyes espirituales que están buscando dónde asirse. Son como un pájaro en vuelo que está procurando dónde posarse para hacer su nido, para establecerse y cumplir sus propósitos.

"Como el gorrión en u vagar, y como la golondrina en su vuelo, así la maldición nunca vendrá sin causa".
Proverbios 26:2

Al mismo tiempo nos encontramos en Deuteronomio capítulo 28:

"Y vendrán sobre ti todas estas bendiciones y te alcanzarán, si oyeres la voz de Jehová tu Dios""Pero acontecerá, si no oyeres la voz de Jehová tu Dios, para

procurar cumplir todos los mandamientos y sus estatutos que yo te intimo hoy, Que vendrán sobre ti todas estas maldiciones y te alcanzarán".   Deuteronomio 28:2 y 15

En muchas ocasiones me encuentro con personas que habiendo leído libros, o escuchado enseñanzas sobre maldiciones, las revocan y las cancelan de sus vidas, pero al tiempo éstas regresan sobre ellos. La razón de esto es que por el poder del Espíritu lograron apartarlas por un tiempo, pero nunca desarraigaron su causa, que es la iniquidad.

La maldición quedó flotando, buscando otra vez donde adherirse y al ver de nuevo la iniquidad en la persona se volvió a asir a ella.

Como ya dijimos, el cuerpo de iniquidad es como un torcido cordón negro formado por cientos de nudos y capas llenos de información y de pactos, acumulados de generación en generación. A este cordón se agregan una gran cantidad de maldiciones, de decretos hechos por nuestros ancestros y por nosotros mismos.

"El pecado de Judá está escrito con cincel de hierro y con punta de diamante; esculpido está en la tabla de su corazón..."   Jeremías 17:1

En este complicado cuerpo de iniquidad han

quedado grabados todos los pecados hechos por las generaciones que nos precedieron y es precisamente de esta información que surge el pecado y se manifiesta. Esto no se cancela con una oración generalizada: "Oh Señor borra todas mis iniquidades". Tanto el pecado como la rebelión y la iniquidad, requieren de un escrutinio profundo, de una observación y análisis exhaustivo de nuestro corazón.

Si bien en la sincera oración de una genuina conversión muchos pecados no fueron confesados, Jesús toma nuestro corazón arrepentido para darnos salvación. Sin embargo a partir de ahí, el Espíritu Santo empezará a remodelar nuestra conciencia mostrándonos y dándonos entendimiento sobre pecados que ni siquiera considerábamos como tales.

Esto traerá arrepentimiento a obras en nuestra vida de las que nunca antes habíamos sentido vergüenza. En la medida que somos dóciles y nos entregamos al Señor, Él tratará con cada área en nosotros, en aras de santificarnos.

De la misma manera Él tiene que tratar con nuestras iniquidades, ya que es aquí donde se encuentra la raíz de todos nuestros problemas y donde más actividad demoníaca es engarzada.

"Bienaventurado el hombre a quien Jehová no culpa de

iniquidad y en cuyo espíritu no hay engaño. Mientras callé se envejecieron mis huesos en mi gemir todo el día. Porque de día y de noche se agravó sobre mí tu mano; se volvió mi verdor en sequedades de verano. Mi pecado te declararé y no encubrí mi iniquidad. Dije: Confesaré mis transgresiones a Jehová; y tu perdonaste la maldad (iniquidad) de mi pecado".   Salmo 32:2-5

Note cómo la obra redentora de Dios tiene que llegar hasta lo profundo, al lugar donde se originó el pecado. Si solo tratamos con este en forma superficial, ese cuerpo de iniquidad que acabamos de describir seguirá vivo y activando toda clase de males sobre nosotros.

Al estudiar la iniquidad con relación a las maldiciones será necesario identificar en oración la raíz de iniquidad que produjo tal maldición, para entonces desarraigar la una y la otra.

¿Qué es en sí una maldición?

Me gusta la definición dada por el Apóstol John Eckhardt[3] en su libro: "Identificando y rompiendo maldiciones": "Una maldición, es el pago dado por Dios sobre una persona y su descendencia como resultado de su iniquidad".

3 Eckhardt, John: "Identifing & Breaking Curses", Whitaker House, 2000, pp. 63.

"Dales el pago oh Dios según la obra de sus manos. Entrégalos al endurecimiento de corazón; tu maldición caiga sobre ellos".   Lamentaciones 3:64-65

Las maldiciones pueden identificarse a través de varios síntomas recurrentes que provienen de raíces específicas de iniquidad:

• Problemas financieros crónicos, pobreza y miseria, tierra que no produce fruto, negocios que se secan sin razón aparente.

Causa: Robo, fraude, brujería o hechicería, idolatría, confiar en el hombre antes que en Dios, robarle a Dios en diezmos y ofrendas. Malaquías 3:8–9
Jurar falsamente en el nombre de Dios. Zacarías 5:4

• Problemas ginecológicos en la mujer: flujo de sangre continuo, desórdenes crónicos en la menstruación, esterilidad, abortos naturales.

Causa: Incesto, adulterio, divorcio, perversión sexual, abortos, pornografía, fornicación, rebeldía y desobediencia. Génesis 3:16

• Enfermedades crónicas o diversas, una tras otra.

Causa: Idolatría, hechicería, derramamiento de

sangre. Deuteronomio 28:27 y 35

• Problemas de hongos en la piel o uñas, fiebres y calamidades.

Causa: Hechicería, prácticas inmundas, maldiciones lanzadas sobre una persona. Deuteronomio 28:22

• Propensión a accidentes.

Causa: Homicidio, muerte, derramamiento de sangre, culto a los muertos, espiritismo, hechicería, idolatría, satanismo. Deuteronomio 28

• Problemas maritales, divorcios, deslealtad del cónyuge.

Causa: Divorcios, deslealtad, idolatría, hechicería, incestos, adulterios. Deuteronomio 28:30

• Muertes prematuras, suicidios.

Causa: Homicidio, derramamiento de sangre, idolatría, hechicería, amor al dinero. Proverbios 2:22, Salmo 37:28

• Problemas de robos continuos, fraudes, herencias paralizadas, pérdida total de casas o propiedades.

Causa: Robo, fraude, tráfico ilegal de mercancía, tráfico de esclavos o de blancas. Zacarías 5:3-4

• Problemas mentales, locura, Alzheimer, demencia senil.

Causa: Orgullo, altivez, confianza en las riquezas, testarudez. Daniel 4:32, Deuteronomio 28:18

• Destrucción de diversas índoles.

Causa: Homicidio, violencia, borrachera, drogadicción, brujería, idolatría, suicidio. Deuteronomio 28:20

• Agravio y abusos de todo tipo.

Causa: Violación, abusos, calumnia, lengua maldiciente. Salmo 53:4

• Volverse errante, vagabundo. Expulsado de su propia tierra, vivir como ilegales en tierra ajena.

Causa: Homicidio, confianza en la riqueza. Génesis 4:12 y Salmo 109:10

• Derrota en contra de los enemigos.

Causa: Idolatría, hechicería, rebeldía. Deuteronomio 28:25

Cuando una persona identifica que está en maldición, lo primero que tiene que hacer es identificar la causa. Esta puede encontrarse en ella misma o en su línea generacional, comúnmente es en ambas. A veces necesitamos que el Espíritu Santo nos revele acontecimientos del pasado, como el caso que narré acerca de mi abuelo en el segmento: "La iniquidad y la Ruina". Después es necesario arrepentirse de la iniquidad y entonces desarraigarla del espíritu de la persona. Una vez hecho esto, habrá que revocar y cancelar las maldiciones, rompiendo su poder sobre su vida.

Para concluir, proclame sobre su vida la victoria de Jesús en la cruz, donde Él se hizo maldición para liberarnos.

"Cristo nos redimió de la maldición de la ley, hecho por nosotros maldición (porque está escrito: maldito todo aquel que es colgado en un madero), para que en Cristo Jesús, la bendición de Abraham alcanzase a los gentiles, a fin de que por la fe recibiésemos la promesa del Espíritu".   *Gálatas 3:13 y 14*

5

El Poder de Atracción de las
Fuerzas Espirituales

Tanto la justicia como la iniquidad **son fuerzas espirituales que tienen en sí mismas un gran poder de atracción.** La una está intrínsecamente ligada al trono de Dios y la otra al trono del diablo. La justicia es el atributo del Señor que alinea todas las cosas con el reino de Dios. La iniquidad, en cambio, es la fuerza opuesta que tuerce todo, alejando los diseños de Dios.

Jesús queriéndonos enseñar una verdad poderosa nos dice en su palabra:

"Por tanto os digo: No os afanéis por vuestra vida, qué habéis de comer o qué habéis de beber, ni por vuestro cuerpo, qué habéis de vestir. ¿No es la vida más que el

alimento, y el cuerpo más que el vestido?" "No os afanéis,
pues diciendo qué comeremos, o qué beberemos, o qué
vestiremos? Porque los gentiles buscan todas estas cosas;
pero vuestro Padre celestial sabe que tenéis necesidad de
todas estas cosas. Más buscad primeramente el Reino de
Dios y su Justicia y todas estas cosas os serán añadidas".

Mateo 6:25 y 31-33

Aquí vemos que acercándonos al reino de Dios y a
Su justicia se produce un poder de atracción que
gravita hacia nosotros todas las cosas.

La justicia de Dios contiene en sí misma una fuerza
poderosísima que continuamente está actuando
sobre la iniquidad, chocando contra ella para
enderezar las cosas hacia Dios. Por otro lado, esta
fuerza atrae todo lo que es del reino de los cielos y
toda bendición de lo alto, jalando las riquezas
espirituales y materiales. Esto se debe a que la justicia
está íntimamente ligada con la gloria de Dios, caminan
de la mano, y se manifiestan en forma simultánea.

"Los cielos anunciaron su Justicia y todos los pueblos
vieron su gloria".   *Salmo 97:6*

Isaías habla de este poder atrayente y como se
manifiesta en el cristiano, cuando la justicia de Dios
se ha establecido en una persona y esta se vuelve un
vaso de su gloria.

"Levántate y resplandece porque ha venido tu luz, y la gloria de Jehová ha nacido sobre de ti. Porque he aquí que tinieblas cubrirán la tierra y oscuridad las naciones, más sobre de ti amanecerá Jehová y sobre de ti será vista su gloria. Y andarán las naciones a tu luz, y los reyes al resplandor de tu nacimiento Alza tus ojos y mira todos estos se han juntado, han venido a ti; tus hijos vendrán de lejos y tus hijas serán traídas en brazos. E n t o n c e s verás y te maravillarás y ensanchará tu corazón, porque se haya vuelto a ti la multitud del mar y las riquezas de las naciones hayan venido a ti".   Isaías 60:1-5

Note como todas las bendiciones son gravitadas en forma asombrosa donde ha nacido y es vista la gloria de Dios. Ahora bien esta gloria solo se puede manifestar cuando la justicia ha obrado como poder transformador en un hijo de Dios. Esto va mucho más allá de ser justos, es por gracia. La justicia, que es por la fe, es nuestro pasaporte de entrada al cielo. Para que la gloria ejerza su poder de atracción de todas las bendiciones y atributos del reino de los cielos, es necesario que la justicia erradique toda forma de iniquidad en nuestro ser.

La gloria de Dios nos sumerge en todo lo que es Él, este es un resplandor hermosísimo que nos hace sentir bien. A diferencia de la unción, que es la habilidad de llenarnos de gozo y de amor; la gloria es el fuego consumidor de Dios. La gloria quema y destruye todo lo que nos aparta del Señor.

Muchos quieren entrar a las dimensiones de su gloria sin nunca haber desarraigado, ni identificado el terrible peso de la iniquidad en ellos. Hacer las cosas de esa manera trae un sufrimiento extremo y muchas veces prolongado, ya que no saben lo que les está ocurriendo.

Ahora bien, entrar a ese fuego es un paso necesario en los caminos de Dios, ya que sin Su Gloria y Su Justicia, jamás poseeremos la herencia de bendiciones, poder y todo tipo de añadiduras maravillosas que se encuentran en su reino.

La forma de lograr esto, es tratando primero con la iniquidad, que es parte fundamental de la victoria de la cruz. Después operan la Justicia y Gloria, dos grandes virtudes del Todopoderoso y partes fundamentales de Su Reino que no solo nos pulen, sino que también traen juicio sobre nuestros enemigos.

"Jehová reina, regocíjese toda la tierra. Alégrense las muchas costas. Nubes y oscuridad alrededor de él; Justicia y juicio son el cimiento de su trono. Fuego irá delante de él, y abrazará a sus enemigos alrededor."

Salmo 97:1-3

Es importante entender para el tema que estamos tratando, que así como el amor de Dios no puede dejar de amar, también la justicia de Dios no puede dejar de juzgar. En términos divinos los juicios de Dios son enviados precisamente para establecer Su justicia. Cuando el Señor juzga, está alineando las cosas con su perfecta esencia y voluntad. Hay por tanto juicios que son correctores, otros simplemente reveladores y en casos muy extremos destructores.

¿Qué juzga la justicia de Dios? Precisamente la iniquidad. Es aquí donde se establece todo lo que está torcido de los caminos de Dios. Donde quiera que haya iniquidad, encontraremos una continua presencia de los juicios de Dios.

Ahora bien de la misma manera en que la justicia y la gloria tienen un poder de atracción de todo lo perteneciente al reino de Dios, la iniquidad tiene también ese mismo poder pero en sentido opuesto. Como un imán gigante, la iniquidad atrae todo lo relacionado con el imperio de la muerte y de las tinieblas.

La iniquidad es la base legal con la que el diablo envía toda forma de mal sobre el ser humano y, más aún, el creyente. Así que mire si no es importante este tema, ya que por un lado es el blanco de bombardeo del diablo y por el otro el blanco de los juicios de Dios.

Dios establece su Justicia con misericordia para aquellos que le buscan. Hablar de los juicios de Dios, es un tema que asusta a la gran mayoría de la gente. Se piensa erróneamente que cada vez que Dios actúa de esta manera, algo terrible nos va a suceder.

En mi libro "Sentados en Lugares Celestiales"[4] toco este tema, pero con el fin de dar luz a aquellos que aún no lo han leído, me permito hablar de él en esta ocasión.

Lo primero que tenemos que entender es que Dios nos ama profundamente, y que su pensamiento es de bien para sus hijos. Por esta razón anhela que Su gloria y Su justicia sean establecidas en nuestras vidas. De esta manera todas sus bendiciones vendrán sobre nosotros y viviremos en abundancia, en paz y en gozo, disfrutando de nuestro amado Padre celestial.

Dios actúa a través de juicios de misericordia, sobre aquellos que buscan Su justicia, Su rectitud, y caminan en el temor de Dios.

"Yo amo a los que me aman, y me hallan los que temprano me buscan. Las riquezas y la honra están conmigo; Riquezas duraderas y justicia. Mejor es mi fruto que el oro, y que el oro refinado; y mi rédito mejor que la plata

4 Méndez Ferrell, Ana: "Sentados en Lugares Celestiales", Voice of The Light Ministries 5ª Edición, 2002. pp. 225.

escogida. Por vereda de justicia te guiaré, por sendas de juicio, para hacer que los que me aman tengan su heredad, y que yo llene sus tesoros".

Proverbios 8:17-21

Luego, es parte de una gran bendición que Dios obre en mi vida enderezando todo lo torcido, lo equivocado y lo mal estructurado de mi persona.

Para que esto suceda el Señor va a operar a través de juicios de misericordia. Estos son todas aquellas circunstancias, palabras que Él habla a nuestras vidas, sueños y momentos de lucidez divina que nos permiten ver nuestros errores y enderezar nuestros caminos.

La obra poderosa de Dios en nuestras vidas ocasiona que seamos establecidos como "Justos" sobre la tierra con todos los privilegios que eso implica. Existe una diferencia entre ser declarado "Justo" por la gracia y sacrificio de Cristo, cuando nos convertimos a Él, y ser establecidos en Justicia.

Las bendiciones, la honra y las riquezas, no vienen como raudal del cielo tras ser bautizados, sino en la medida en que somos arraigados y cimentados en justicia.

El Rey David entendió claramente este fundamento

y sabía que sus victorias dependían de que la Justicia de Dios se estableciese sobre él.

"Levántate, oh Jehová en tu ira; Alzate en contra de la furia de mis angustiadores, y DESPIERTA A FAVOR MÍO EL JUICIO QUE MANDASTE...." *"Juzgará Jehová a los pueblos; Júzgame, oh Jehová, conforme a mi justicia, y conforme a mi integridad. Fenezca ahora la maldad de los inicuos, mas ESTABLECE TÚ AL JUSTO..."*   Salmo 7:6 - 9

El también entendía que los juicios de Dios eran dulces y maravillosos, porque lo acercaban más a Su amado Señor.Cuando se ama a Dios con todo el corazón y con todas las fuerzas, todo lo que estorbe nuestra comunión con Él, nos parece terrible y anhelamos que sea quitado lo antes posible.

Hay cosas de las que somos consientes y otras que están tan arraigadas y escondidas en nuestro ser interior que necesitamos que sean reveladas.

"Los mandamientos de Jehová son rectos, que alegran el corazón; el precepto de Jehová es puro, que alumbra los ojos. El temor de Jehová es limpio que permanece para siempre; Los juicios de Jehová son verdad, todos justos. DESEABLES SON MÁS QUE EL ORO, y más que mucho oro refinado; Y dulces más que la miel, y que la que destila del panal".   Salmo 19:8-10

Dios le habla de esto al Profeta Malaquías, de cómo Jesús anhela afinarnos con todo su amor. El Señor quiere hacer una obra perfecta en todos nosotros y para eso es necesario lavarnos y pulirnos.

"¿Y quién podrá soportar el tiempo de su venida? ¿o quién podrá estar de pié cuando él se manifieste? Porque él es como fuego purificador y como jabón de lavadores. Y se sentará para afinar y limpiar la plata; porque limpiará a los hijos de Leví, los afinará como a oro y como a plata, y traerán a Jehová ofrenda en justicia".

Malaquías 3:2-3

La tribu de Leví representa el sacerdocio de Su casa. Los sacerdotes santos en que hemos sido constituidos por Jesús.

El hecho de que Él se sienta a afinar, me habla de una obra cuidadosa, llena de dedicación y amor. Dios quiere purificarnos de esta manera, pero no todos tienen el amor y la mansedumbre necesarios para dejarse tratar así.

A otros, Dios tiene que disciplinar como un Padre que corrige a sus hijos. Desgraciadamente a otros tendrá que castigarlos para enderezar sus caminos y salvarlos de la muerte. Es imposible ser bendecido y participar de Su gloria sin que el Señor trate nuestra iniquidad.

6

La Justificación Verídica nos
libra de la Iniquidad

Los principios fundamentales de la fe, expuestos en este capítulo, son tratados con una profundidad diferente a lo que normalmente se predica hoy. Están desarrollados bajo un entendimiento profético y apostólico que lo cimenta como edificio de Dios, capaz de contener su gloria postrera.

1.- La justificación desde el enfoque de una nueva Reforma Apostólica

Sería imposible tocar el tema de la iniquidad y cómo ser libre de ella, sin entender con claridad el sacrificio justificador de Cristo en el calvario. Muchas interpretaciones erradas se han cometido en el entendimiento de este fundamento, que mantienen a millones de personas en el error, creyendo que tienen una salvación que en realidad nunca han adquirido.

Dios está restaurando todas las cosas antes de su venida, y una de las más importantes, es la predicación del evangelio verdadero de Jesucristo, en todo su poder y su gloria.

Creo profundamente en la obra de la cruz en mi vida y por ella vivo. Creo en su absoluto poder justificador, redentor y sanador. Creo que somos salvos por gracia por medio de la fe; de una fe con frutos y obras poderosas en Dios. Pero también creo que hemos diluido tanto la predicación del verdadero evangelio, tratando de atraer gente a los pies de Cristo, que le hemos quitado en muchos casos los ingredientes básicos de Salvación.

Hemos reducido de un evangelio transformador y confrontador a la vez, a una sencilla y dulce "oración del pecador" carente de realidad espiritual y de compromiso. Una oración en la cual una gran cantidad de gente que la hace no tiene la menor convicción de pecado, ni deseo alguno de dejar el mundo para seguir a Jesús.

Los llenamos de promesas maravillosas, haciéndoles creer que todas las bendiciones de Dios vendrán sobre ellos, porque ahora Dios los considera

"Justos", aunque sus vidas estén llenas de pecado y de injusticia. La realidad es que la gran mayoría de la Iglesia vive en grandes derrotas, en desiertos interminables, "teniendo nombre de que viven, pero estando muertos".

La justificación por medio de la fe, se produce cuando yo creo con todo mi corazón que Jesús ha tomado mis pecados en su cruz y pongo mi vida en esa cruz para vivir por ella; cuando tomo la decisión de dejar atrás mi vieja manera de vivir, porque estoy sinceramente arrepentido y avergonzado de que mis obras hayan llevado a Jesús a un sacrificio terriblemente cruel y doloroso.

La unión con Cristo es como un matrimonio, de hecho, Pablo hace esta comparación en su epístola a los Gálatas. Cuando alguien se une en matrimonio, deja su vieja forma de vivir como soltero, deja la casa de sus padres y se une en un firme compromiso a su mujer. Lo mismo ocurre cuando nos unimos a Cristo: dejamos nuestra vieja forma de vivir y nos unimos en un mismo Espíritu con el Señor.

Sin embargo, en muchos casos hoy se vive en un evangelio sin compromiso, en el que vivir bajo la vieja estructura de pecado no tiene la menor importancia. Es común la creencia de que son justificados por la gracia y que entrarán al Reino de los cielos hagan lo que hagan, porque un día dijeron con su boca: "Señor ven a vivir en mi corazón". Esto es una peligrosa mentira.

Si bien la gracia es el regalo inmerecido de Dios, y la salvación no requiere que nosotros hagamos OBRA alguna para poder ser salvos; sí es un requisito irremplazable entrar por medio de la CRUZ.

La cruz no es una opción más, es LA PUERTA ESTRECHA, que conduce a la salvación. Y es ahí donde el alma ARREPENTIDA entrega su vida, con el firme propósito de empezar una nueva, dejando atrás la práctica del pecado. Esto es, la forma mundana y pecaminosa usada en el pasado.

"Entrad por la puerta estrecha; porque ancha es la puerta, y espacioso el camino que conduce a la perdición, y muchos son los que por ella entran; Porque estrecha es la puerta y angosto el camino que lleva a la vida, y pocos son los que la hallan".   Mateo 7:13-14

2.- ¿Qué es invocar el nombre del Señor?

Invocar el nombre de Jesús es algo poderosísimo, pero que implica una acción de nuestra parte. Invocar significa "llamar adentro". Esto es llamar al Espíritu del Dios viviente que venga a nosotros y se una a nuestro espíritu.

Este paso indispensable para nuestra salvación requiere que sea hecho en el orden de Dios, ya que constituye el fundamento de nuestra fe.

"Pero el fundamento de Dios está firme, teniendo ESTE SELLO: Conoce el Señor a los que son suyos; y: apártese de iniquidad todo aquel que invoca el nombre de Cristo".

2 Timoteo 2:19

Este punto, me parece esencial por lo que le pido que abra su corazón para entender en forma profunda una verdad tratada con demasiada liviandad por una gran parte de la iglesia de hoy.

Lo primero que tenemos que entender es que para que el Espíritu de Dios venga sobre nosotros, es elemental tomar la decisión de alejarse de toda iniquidad. Una vez que él desciende a nuestra vida, tenemos que asirnos de él para mantenernos en santidad.

Todos quieren ser sellados por el Espíritu de la promesa, pero el sello se establece al invocar en forma verídica el nombre de Cristo. Esto no sucede con una sencilla oración llena de ignorancia, sino en un acto de plena convicción, en el cual con todo mi corazón decido cambiar mis caminos, para alejarme de iniquidad y vivir en justicia.

"Porque con el corazón se cree PARA JUSTICIA y con la boca se confiesa para salvación".   *Romanos 10:10*

3.- Hay que creer con el corazón, no con la mente

Creer con el corazón implica la firme determinación de caminar en la justicia que proviene de Dios y tomar de su gracia todo el poder que necesitamos para conformarnos a esa justicia.

No es un "yo creo en Dios" y hago lo que se me pegue la gana, porque al final, Dios me considera justo. El apóstol Santiago se refiere a esta forma de creer, como una fe ineficaz, ya que no va acompañada de las obras de la fe. Él dice:

"Tú crees que Dios es uno; Bien haces. También los demonios creen y tiemblan ¿Mas quieres saber hombre vano, que la fe sin obras está muerta?"
                    Santiago 2:19-20

Es en el corazón donde se encuentra el sistema de creencia en nuestro ser. El corazón es el único que tiene la fuerza interna para determinar el cambio de dirección en nuestra vida. La mente reflexiona y acepta, pero carece del poder para romper estructuras de comportamiento. Las decisiones determinantes en una vida sólo se pueden tomar con el corazón, sino serán tan solo fantasía o hipocresía.

Watchman Nee, el famoso teólogo de principios del siglo pasado escribió en su libro "El Hombre Espiritual":

"Todo lo que pertenece al hombre natural, como por ejemplo el yo del creyente, debe pasar por la muerte de la cruz. Si esto es sólo una idea o un concepto, tal vez la mente lo acepte, pero si es algo que deba ponerse en práctica, la mente inmediatamente lo rechazará"[5].

Sólo el corazón puede tomar la decisión de entrar por la puerta de la cruz, humillarse, obedecer, renunciar a los placeres y rudimentos del mundo.

El Dr. Nee también asentó en ese mismo libro:

"Muchas personas se llaman cristianas, pero lo que creen es filosofía, ética y doctrinas acerca de la verdad o algunos fenómenos sobrenaturales. Creer esto no produce un nuevo nacimiento, ni les concede a las personas un espíritu nuevo"[6].

---

5 Watchman Nee: "El Hombre Espiritual", Análisis del Espíritu, Tomo II, Living Stream Ministry, 2001, p. 314.

6 Ibíd., 299.

Cuando se cree tan solo con la mente, podemos saber la Biblia de memoria o recitar "el credo", pero ninguna de estas cosas conlleva al nuevo nacimiento.

Por medio del corazón –el órgano de nuestra alma que se encuentra íntimamente ligado a nuestro espíritu– podemos arrepentirnos para un cambio radical de vida.

4.– Es necesario dejar la antigua forma pecaminosa de vivir

El Apóstol Juan colabora con lo que estamos afirmando, haciendo hincapié que ese caminar en iniquidad, creyéndose justo es un terrible engaño.

Recordemos que la iniquidad y la justicia se oponen radicalmente y si tuvieran que coexistir toda la vida en un supuesto creyente, éste se encontraría en un lamentable y terrible estado de juicio durante toda su existencia. Esto es porque la justicia inevitablemente juzga la iniquidad.

"Y sabéis que El apareció para quitar nuestros pecados, y no hay pecado en él. Todo aquel que permanece en El, NO PECA (No vive en la practica de pecado); todo aquel que peca no le ha visto ni le ha conocido. Hijitos NADIE OS ENGAÑE; el que hace justicia es JUSTO, como El es Justo. El que practica el pecado es del diablo; porque el

diablo peca desde el principio. Para esto apareció el Hijo de Dios, para deshacer las obras del diablo. Todo aquel que es nacido de Dios no práctica el pecado, porque la simiente de Dios permanece en él; y no puede pecar porque es nacido de Dios. En esto se manifiestan los hijos de Dios y los hijos del diablo: todo aquel que no hace justicia y que no ama a su hermano, no es de Dios".

1 Juan 3: 5-10

Cuando el Hijo de Dios se manifiesta en el corazón del hombre que ha invocado su Nombre, esto tiene un efecto poderosísimo. Cristo se levantará con poder para deshacer toda la iniquidad y las obras que el diablo ha edificado en el verdadero creyente. Juan, quien entiende profundamente la acción de la divina simiente engendrada en el hombre, sabe sin lugar a dudas que la presencia de Cristo en el espíritu y en el corazón del hombre, lo mantendrá alejado de una vida de pecado. Así el diablo no podrá tocar a un hijo de Dios.

"Sabemos que todo aquel que es nacido de Dios NO PRACTICA EL PECADO, pues Aquel que fue engendrado por Dios le guarda Y EL DIABLO NO LO PUEDE TOCAR".

1 Juan 5:18

El evangelio es un llamado a una genuina conversión, la cual literalmente nos traslada del reino de las tinieblas a la Luz.

Cuando el Apóstol Pablo se convierte en el camino de Damasco, el Señor le habla muy claramente de su llamado diciéndole:

"...porque para esto me he aparecido a ti, para ponerte por ministro y testigo de las cosas que has visto...librándote de tu pueblo y de los gentiles a quienes ahora te envío, para que abras sus ojos, para que se conviertan de las tinieblas a la luz, de la potestad de satanás a Dios..."

Hechos 26:16-18

El hecho de que el Señor use esta palabra "trasladar" implica un cambio de localidad. Esto significa que no se puede estar en dos lugares al mismo tiempo. Trasladar quiere decir DEJAR un lugar para dirigirme a otro. Gente que quiere estar en el mundo y en Cristo al mismo tiempo, nunca ha sido trasladada, nunca ha dejado de estar bajo la potestad de satanás.

Es necesario que sus ojos sean abiertos, que vean la condición de su alma con relación a Dios y que decidan dejar las tinieblas, sólo entonces se pueden CONVERTIR a la luz.

5.- ¿Todos los que se dicen ser salvos, lo son realmente?

El verdadero evangelio es el auténtico poder de Dios para arrancarnos de una vana, carnal e inicua manera de vivir y producir en forma genuina, nuevas criaturas poderosas en Él y llenas de su gloria.

Cuando Dios empezó a traer su unción apostólica sobre mi vida, empecé a ver cosas en la Palabra que nunca antes había visto. El Señor empezó una auténtica reforma en mi interior para poder ser parte de la preparación de su Iglesia para su segunda venida. Esto me ha hecho releer la Biblia muchas veces reestructurando verdades tan fundamentales, que anteriormente sólo había aceptado en una forma pragmática de la manera en que me las enseñaron. Nunca las cuestioné, hasta que la evidencia de una iglesia en su gran mayoría hundida en pecado y el dolor que siento por ella me hicieron profundizar en la escritura en una forma diferente.

Por eso sé, porque lo vivo, que la simiente de Dios y la vida del Espíritu, no se mezclan con una vida en iniquidad y en práctica de pecado.

Hoy queremos hacer herederos de las promesas de Dios a gente que jamás se ha arrepentido en forma genuina. Gente que quiere, como dice la corriente de este siglo: "lo mejor de los dos mundos". Quieren todas las bendiciones de Dios, pero también todos los placeres de este mundo. Hoy la Iglesia llama "hijos de Dios, nacidos de nuevo" a fornicarios y a adúlteros, a homosexuales, a tramposos, a ladrones, a gente llena de orgullo, de pornografía, de abusos y de fraudes. Hoy les llamamos bautizados del Espíritu, a gente llena de lascivia, de engaño, a gente llena de hechicería y de idolatría. Gente que no se toca el corazón para calumniar, para difamar y para destruir el precioso Cuerpo de Cristo.

"¿No sabéis que los injustos no heredarán el reino de Dios? NO ERRÉIS; ni los fornicarios, ni los idólatras, ni los adúlteros, ni los afeminados, ni los que se echan con varones, ni los ladrones, ni los avaros, ni los borrachos, ni los maldicientes, ni los estafadores, heredarán el reino de Dios".   *1 Corintios 6:9-10*

Este versículo lo escribió el mismo Apóstol Pablo, quien declaró también la famosa frase de fe: "Con el corazón se cree para justicia y con la boca se confiesa para salvación".

El evangelio que yo veo que predicaban los Apóstoles, conducía a la gente a cambios substanciales en sus vidas. No en forma hipotética, o en una posición teológica, sino en una práctica genuina de la santidad que Jesús compró para nosotros en la cruz. La Iglesia primitiva creció en el TEMOR DE DIOS y en su Justicia. Honraron lo que Jesús hizo por ellos, viviendo una vida que glorificaba a Dios.

"Y perseveraban en la doctrina de los Apóstoles, en la

comunión unos con otros, en el partimiento del pan y en las oraciones. Y sobrevino TEMOR a toda persona..."

Hechos 2:42 - 43

Para ellos era claro que no se podía Ser de la carne y Ser del Espíritu como hoy se cree, que se puede ser de Cristo y del mundo a la vez.

Pablo hace muy clara esta distinción como parte básica de "la doctrina de los Apóstoles":

"Porque lo que era imposible para la ley, por cuanto era débil por la carne, Dios enviando a Su Hijo en semejanza de carne de pecado y a causa del pecado, condenó al pecado en la carne, para que la JUSTICIA que es por la ley SE CUMPLIESE EN NOSOTROS, QUE NO ANDAMOS CONFORME A LA CARNE SINO CONFORME AL ESPÍRITU".

Romanos 8:3 - 4

La genuina conversión traslada al creyente a una vida en el Espíritu. Note cómo en el pasaje a los Romanos que acabo de citar, la justicia de Dios se cumple cuando dejando la vida carnal de pecado, el creyente vive ahora por el Espíritu.

Cuando Cristo verdaderamente entra en el espíritu del hombre, cambia radicalmente la dirección de esa vida. Cristo viviendo en nosotros es una realidad espiritual que nos sacude por dentro, nos rompe todos los esquemas mundanos y pecaminosos. Toma nuestro corazón con una fuerza poderosísima y lo sumerge en su luz resplandeciente. Esto produce un cambio total en la manera de pensar. Nuestra sed y nuestra hambre serán las cosas del cielo. Nunca más este mundo tendrá nada que nos atraiga. La simiente de vida que es Él en nosotros está llena de fuerza, de fuego, de resurrección, no es cualquier simiente, es DIOS VIVIENDO EN NOSOTROS.

Si Dios está habitando en forma real en alguien, este no puede permanecer en una vida de pecado. Es demasiado poderoso lo que sucede, cuando El Creador del universo entra en el corazón del hombre. *"Mas vosotros no vivís según la carne, sino según el Espíritu, si es que el Espíritu de Dios mora en vosotros. Y si alguno no tiene el Espíritu de Cristo, no es de él"*.

Romanos 8:9

Lo que está diciendo aquí el Apóstol Pablo es que la evidencia de que el Espíritu de Dios habita realmente en una persona, es que ésta vive según el Espíritu. Ha dejado su forma pecaminosa de vivir y ahora es guiada por el Espíritu de Cristo.

"Porque todos los que son guiados por el Espíritu de Dios estos son hijos de Dios".   *Romanos 8:14*

Ser guiados por Dios significa: oír su voz, en

nuestra conciencia, en Su Palabra, aún en nuestros sueños o en la palabra profética que Él nos pueda hablar. Tener como ancla segura el "Temor de Dios" que viene por el Espíritu de Dios y que nos guarda en sus mandamientos y en sus caminos.

El evangelio poderoso de Jesucristo, es un llamado a seguirlo a Él. No es una formulita, ni una oración en ignorancia y sin compromiso.

La salvación radica en la respuesta del hombre, al sacrificio de Cristo, entregando verdaderamente la vida, para ser transformados por su poder. Es dejar nuestra vieja forma de vivir, para volvernos a Él. Mientras esta no sea la determinación de nuestro corazón, aún no hemos alcanzado la salvación.

Quizás podemos estar conduciendo nuestros pasos para acercarnos a ella, pero el sello no se consumará hasta que pongamos nuestra vida en forma genuina en la cruz. Unos deciden ir en pos de Él y entregan sus vidas en forma radical, con una sencilla oración que sale de lo más profundo de su ser y son sellados en ese momento. Otros, no tan decididos se van acercando a Él poco a poco, hasta que finalmente rinden sus corazones totalmente para recibir su salvación. Otros sólo tienen la oportunidad de hacer una oración antes de morir y esto le es suficiente a Dios para salvarlos.

Los tiempos y el corazón de cada hombre son diferentes, no hay una fórmula, por lo que no podemos meterlos a todos dentro de ella.

"Los que SON DE CRISTO HAN, crucificado su carne con sus pasiones y deseos".   *Gálatas 5:24*

No dice: Van crucificando su carne poco a poco, según Dios va tratando con ellos; como se predica hoy en día.

La salvación no es el versículo de Romanos 10:9-10 aislado de la profunda comprensión del nuevo testamento. Es parte de una serie de verdades que lo complementan y que le dan sustancia, contenido y forma. Tomarlo como una oración aislada de su verdadero significado con el fin de obtener creyentes de "Microondas" para llenar la membresía de las iglesias es un error garrafal, que Dios quiere enderezar.

Dios está restaurando no sólo la predicación de su evangelio, sino también la forma de entender lo que éste significa y la manera de apreciar esta perla de gran precio que Él nos ha dado. Dios está restaurando la forma de vivir como Cuerpo de Cristo, no vituperando su nombre con injusticias de toda índole, sino levantándolo en la honra que Él se merece, viviendo una vida santa para Él.

6.- Existe una diferencia entre ser "pecador" y ser un cristiano inmaduro.

La Biblia considera "pecador" a quien vive bajo la práctica del pecado. Esto significa vivir conforme a los rudimentos y pasiones de este mundo. La Biblia se refiere a quien peca voluntariamente como una forma de vida, ignorando el sacrificio de Cristo, ya sea que nunca haya escuchado el evangelio o que tenga conocimiento de él.

Ninguno de los Apóstoles que escribieron el nuevo testamento consideraron a alguien en práctica de pecado como alguien "nacido de nuevo" ni mucho menos le llamaron "lleno del Espíritu Santo". La Biblia hace una sustancial diferencia entre ser un pecador y ser un cristiano inmaduro.

Una cosa es ser carnales y niños en Cristo y decir "Yo soy de Pablo y el otro, yo soy de Apolos" (1 Corinitios 3:1-7); y otra muy distinta es ser un adúltero, uno que roba, o engaña con dolo a su hermano, o uno que consulta adivinos llamándose creyente.

Una cosa es carecer de una mente renovada y ofendernos porque alguien nos hirió, y otra es cometer un fraude o estar sumergido en la pornografía a través de Internet.

Si bien para Dios todos los pecados ensucian el alma o el espíritu, hay pecados de muerte y pecados de inmadurez.

"Si alguno viere a su hermano cometer pecado que no sea de muerte, pedirá y Dios le dará vida; esto es para los que cometen pecado que no sea de muerte. Hay pecado de muerte por el cual yo no digo que se pida. Toda injusticia es pecado; pero hay pecado no de muerte. Sabemos que todo aquel que ha nacido de Dios, no practica el pecado, pues aquel que fue engendrado por Dios le guarda, y el maligno no le toca". 1 Juan 5:16-18

Hay algunos teólogos que aluden a que este pasaje se refiere a la blasfemia contra el Espíritu Santo; sin embargo, en todo el contexto de esta carta, Juan no menciona ese tema. Lo que sí es contundente en todo este manuscrito, es la profunda revelación que Él tenía en cuanto a los que son de Dios y los que no son de Él. A lo largo de toda esta epístola, este apóstol está hablando de la importancia de no practicar el pecado. Esto me lleva a deducir que Juan se refiere a todo lo que es pecado conforme a la ley de Moisés, es decir, los pecados que todos sabemos que son pecados.

Mantenerse santo, sin practicar los pecados con los que el mundo peca, no significa ser legalista ni "vivir conforme a la ley". Esto es "vivir conforme al

Espíritu", que es la consecuencia de ser guiados por el Espíritu de Dios.

El mismo Jesús dijo:

"No penséis que he venido para abrogar la ley o los profetas; no he venido para abrogar, sino para cumplir. Porque os digo que si vuestra justicia no fuere mayor que la de los escribas y fariseos, no entraréis en el reino de los cielos".   *Mateo 5:17 y 20*

Con esto no quiero decir que alguien no pueda tropezar y caer eventualmente en una falta. Bien dice la Palabra: "Y si pecaremos, abogado tenemos en el cielo".

Me refiero a la falsedad que existe en gente, que lleva ya tiempo en el Señor, y sigue amando al mundo y practicando el pecado, creyendo que irá al cielo por gracia. Gente que jamás ha tenido un encuentro verdadero con lo que es el sacrificio de Jesús, en relación a su propia vida. Creen que son salvos porque repitieron una oración que alguien hizo por ellos.

Volviendo al tema, veamos como el mismo Pablo hace también la diferencia entre "pecador" y "cristiano carnal o inmaduro". Si leemos con atención sus epístolas a los Corintios nos daremos cuenta, que la iglesia tenía gente inmadura, había divisiones, contiendas y celos; pero no práctica de pecado de muerte. La prueba de esto, es cuando encontraron UN HOMBRE que cometió incesto. Este caso es tan renombrado y tan insólito que en sus dos epístolas es digno de mencionarlo como algo inaudito.

"Más bien os escribí que nos os juntéis con ninguno que llamándose hermano, fuere fornicario, o avaro, o idólatra, o maldiciente, o borracho, o ladrón; con el tal ni aun comáis""Porque a los que están afuera, Dios los juzgará. Quitad pues a ese perverso de entre vosotros".

1 Corintios 5:11 y 13

Y en su segunda epístola les escribe con una tremenda carga por ese hombre:

"Pero si alguno me ha causado tristeza, no me la ha causado a mí sólo, sino en cierto modo a todos vosotros. Le basta a tal persona esta reprensión hecha por muchos..."

2 Corintios 2: 5 - 6

Note cómo esto no era el común denominador de la iglesia. TODOS estaban en gran tristeza por uno solo que había caído en pecado. Jesús jamás comprometió sus principios para ganar almas y tener más seguidores.

Al joven rico, que se acerca a Él y le pregunta cómo puede entrar al reino de los cielos, le responde con algo que lo sacude y lo aleja de Él.

"Entonces vino uno y le dijo: Maestro bueno, ¿Qué bien haré para tener vida eterna? Él le dijo:....Mas si quieres entrar en la vida, guarda los mandamientos. Le dijo: ¿Cuáles? Y Jesús dijo: No matarás. No adulterarás. No hurtarás. No dirás falso testimonio. Honra a tu padre y a tu madre; y amarás a tu prójimo como a ti mismo. El joven dijo: Todo esto lo he guardado desde mi juventud. ¿Qué más me falta? Jesús le dijo: Si quieres ser perfecto, anda, vende todo lo que tienes, y dalo a los pobres, y tendrás tesoros en el cielo; y ven y sígueme. Oyendo el joven esta palabra, se fue triste, porque tenía muchas posesiones".   Mateo 19: 16 -22

Jesús no acomodaba el evangelio para seducir un alma y hacer un prosélito.

Ni siquiera a los fariseos les habló con "sabiduría evangelística", para que lo siguieran. Jesús les hacía ver lo que había en sus corazones, para que se arrepintiesen los que habrían de seguirlo con todo su corazón.

Hoy se le diría a ese joven rico: "No se preocupe, si no quiere dar su dinero, (o su amante, o su ídolo, o su alcoholismo, o su odio, etc.) de todas maneras Jesús le ama y dio su vida por usted. Permítame hacer una oración con usted y hoy Jesús vendrá a vivir en su corazón".

¿De verdad, cree que vendrá? SELAH. ¿Qué estamos haciendo con un evangelio que tiene poder verdadero para salvar?

El verdadero amor con que Dios nos ama, es un amor que con gran misericordia nos muestra lo que está mal en nosotros para podernos reconciliar con el Padre. Esta es la misión de Jesucristo, la reconciliación.

Para que esto suceda tiene que llevarnos a entender cuánto dolor le causa al Padre nuestro pecado.

El pecado hiere profundamente el corazón de Dios, e hirió profundamente el cuerpo y el alma de Jesús. No podemos seguir predicando un evangelio que omita esta confrontación.

7.– Llamados a ser una Nueva Creación en Cristo.

Dios quiere que entendamos en profundidad lo que significa ser una **nueva creación** en Cristo. Este es uno de los fundamentos más importantes de nuestra vida y Dios está trayendo una luz nueva y fresca para que lo comprendamos con claridad.

Este es quizás uno de los temas más predicados en las iglesias, pero a la vez uno de los menos entendidos.

Así que abra su corazón porque quiero que reciba esta poderosa verdad a la luz de una nueva reforma apostólica.

"De manera que si alguno está en Cristo, nueva criatura es; las cosas viejas pasaron; he aquí todas son hechas nuevas".   *2 Corintios 5:17*

¿Qué no es ser una nueva creación?

Ser una nueva creación, no significa ser aceptados como miembros de una iglesia, tampoco significa un cambio de religión, ni de denominación.

No es cambiar hábitos de conducta, ni de moral. No es dejar de ir a fiestas mundanas para ahora asistir a la iglesia todos los días. No es dejar los amigos del mundo y ahora tener amigos cristianos, ni tampoco es leer la Biblia y tomar todos los cursos de educación cristiana.

Todo esto se puede llevar a cabo sin llegar jamás a ser una nueva creación en Cristo. De hecho, cualquier sistema religioso que incluya el nombre de Jesús, ofrece todas estas cosas. Me refiero a instituciones como la Iglesia Romana, o Los testigos de Jehová, o Los Mormones, o La Luz del Mundo y otros cultos seudocristianos, incluyendo a los masones.

La religión es la alternativa que ofrece el diablo, para hacernos creer que estamos bien con Dios bajo un velo de apariencia de piedad, pero negando la eficacia de la misma. Nos hace creer que la forma externa de la letra puede suplantar la esencia del Espíritu.

Esto es tan sutil, que tiene engañados a millones de cristianos aparentemente "nacidos de nuevo".

Es por eso que el Espíritu enuncia frases como:

"Yo conozco tus obras, que tienes nombre de que vives pero estás muerto".   *Apocalipsis 3:1*

"Estos son manchas en vuestros ágapes (reuniones) que comiendo impúdicamente con vosotros se apacientan a sí mismos; nubes sin agua, llevadas de acá para allá por los vientos; árboles otoñales, sin fruto, dos veces muertos y desarraigados".   *Judas 1:12*

La nueva creación es la resurrección de nuestro espíritu. La nueva creación, no es lo que hagamos religiosamente sino en lo que nos convertimos. La conversión no es la adopción de una nueva filosofía sino **un cambio en la esencia de nuestro ser.**

Algo nuevo y maravilloso empezará a operar dentro de nosotros. Algo que no existía en nuestro interior, ni puede ser FABRICADO por el hombre. Esto es la resurrección de Cristo dando vida a nuestro espíritu o en otras palabras, el poder de la resurrección actuando en nosotros. Esto dará a luz una criatura totalmente diferente. Es una criatura espiritual. Está viva y es poderosísima. En ella misma contiene toda la gloria de la resurrección.

Si bien la carne es la estructura conformada por los principios de una naturaleza caída; la nueva creación es la estructura espiritual conformada por la naturaleza divina.

¿Cómo se llega a ser esta nueva creación?

Lo primero que tenemos que entender es que el espíritu del hombre natural está muerto por causa del pecado.

"La paga del pecado es muerte". Esto quiere decir que nuestro espíritu carece de la vida de Dios en él. Esta muerte es la separación entre Dios y el hombre.

En una enorme porción de seres humanos, el espíritu se encuentra en un estado letárgico. Está dormido y sin la menor interacción con el alma en cuanto a Dios. En otros, este ha sido despertado por espíritus de las tinieblas que lo activan para ser usado en el ocultismo, la nueva era, el budismo Zen, la contemplación acética, el control mental, o el consumo de drogas alucinógenas. Por eso es que la gente que se involucra en estas prácticas tiene experiencias espirituales.

En contadas excepciones, Dios despierta el espíritu en un inconverso, como lo hizo en el caso de Cornelio, el primer gentil que recibe el evangelio a través del apóstol Pedro. Esto también ocurre en gente que sin conocer al Señor recibe una revelación de Dios que despierta sus espíritus, para eventualmente reconciliarse con Él.

El espíritu es la parte más poderosa del hombre, y el diablo lo sabe muy bien, es por eso que él está muy interesado en activarlo para poder controlar el mundo espiritual a través de sus seguidores.

La parte eterna del hombre es su espíritu. El alma tan solo se adhiere a este para seguirlo en su destino final. El alma fue creada para ser el medio de interpretación entre el mundo natural y el espiritual, siendo el espíritu el gobernante general de nuestro ser. Después de la caída, el alma tomó el gobierno de nuestro ser; y hubo una transferencia en la personalidad.

El "yo" del hombre dejó de ser espiritual para volverse almático y su espíritu dejó de recibir la vida de Dios y entró en estado de muerte y en control del diablo.

Al morir su espíritu que está dormido o desconectado de Dios vuelve a Él, quien lo dio mientras el alma se separa para ir a su condenación eterna.

Es el alma la que se condena o se salva. Si alguien recibe a Jesús en su espíritu y somete su alma al gobierno de Dios, el alma será salva y el asiento de su personalidad volverá a transferirse a su espíritu. Si alguien no recibe a Jesús en su espíritu, su alma con su personalidad será condenada. Por más viva que el alma se sienta, por más buena que esta sea, su destino final depende de la condición del espíritu.

Un espíritu que no ha sido vivificado por la unión con Cristo, sigue en su estado de muerte.

Lo único que puede reconciliar al hombre con Dios, es que Cristo resucite su espíritu. Es en el espíritu donde se produce el puente entre Dios y el hombre. Esto no ocurre a nivel del alma. El alma no tiene vida o muerte (en sentido eterno) por sí misma, es tan solo un instrumento para funcionar en el mundo material y animal.

El hombre fue creado para ser ESPÍRITU gobernante. Esta es su esencia vital y es ahí el único lugar donde puede recibir salvación. La salvación y el nuevo nacimiento no se llevan a cabo a través de una mecánica intelectual. Es un asunto del espíritu. El espíritu tiene que ser engendrado por el Espíritu de Dios.

"Y a todos los que le recibieron a los que creen en su nombre les dio potestad de ser hechos hijos de Dios, los cuales no son engendrados de sangre, ni de voluntad de carne, ni de voluntad de varón, sino de Dios".

Juan 1:12 - 13

No es la voluntad de la carne, como acabamos de leer la que produce este engendramiento, sino Dios que lo concede. Dios trae su preciosa semilla de vida y la siembra en nuestro espíritu. Esto se da cuando con un corazón sincero y arrepentido le entregamos nuestro ser a Dios y somos bautizados.

"Pedro les dijo: Arrepentíos y bautícese cada uno en el nombre de Jesucristo para perdón de los pecados; y recibiréis el don del Espíritu Santo... Así que los que recibieron su palabra fueron bautizados; y se añadieron aquel día como tres mil personas".

Hechos 2:38 y 41

En el Nuevo Testamento la verdadera consumación de la fe en que habían creído era inmediatamente confirmada por el bautismo.

"El que creyere y fuere bautizado será salvo..."

Marcos 16:16

Es en el bautismo donde se lleva a cabo la unión del Espíritu de Dios y del hombre, para que sea engendrada una nueva criatura espiritual que irá creciendo a semejanza de Dios.

La vida de Dios en nosotros es vida de resurrección, todo el poder con que Jesucristo fue levantado de los muertos es ahora lo que mora en nuestro espíritu.

El bautismo no es entrar en las aguas en el nombre de Jesús. Es la decisión de morir a nuestra vida de pecado para renacer en Él. Es crucificar este mundo con sus deseos y pasiones de la misma manera en que Jesús lo hizo.

"Porque somos sepultados juntamente con él para muerte por el bautismo, a fin de que como Cristo resucitó de los muertos nosotros también andemos en vida nueva. Porque si fuimos plantados juntamente con él en la semejanza de su muerte, así también lo seremos en la de su resurrección. Sabiendo esto, que nuestro viejo hombre fue crucificado juntamente con él, para que el cuerpo de pecado sea destruido, a fin de que no sirvamos más al pecado".   Romanos 6:4 - 6

Aquí es muy claro que Cristo es el modelo a seguir en lo que es realmente el bautismo; es por eso que resalto las palabras "a fin de que como Cristo..."

El primer diseño es la muerte, luego la resurrección. El bautismo es un diseño de muerte, si no entramos en las aguas con la firme convicción de morir al pecado, entonces tan solo nos hemos mojado. El agua no tiene poder de salvación; es la decisión de morir para después resucitar. Esto tiene que ser hecho de todo corazón y en toda conciencia.

Hay gente que pasa por las aguas como un simple requisito religioso, pero sin una convicción genuina de seguir a Jesucristo con todo su ser. Quizás tienen necesidad de ser aceptados, o quieren formar parte de un grupo para sentirse integrados en la sociedad. Otros lo hacen para quedar bien con la esposa o viceversa.

Entonces, este importante acto se convierte en un trámite, como quien va a sacar un pasaporte, pero los corazones no han tenido un deseo de morir con Cristo. Conozco casos que pasan por las aguas porque quieren conquistar una señorita hermosa de la iglesia, o porque se sienten frustrados en sus carreras o fracasados en sus negocios y quieren ver si "su suerte" cambia con esto del "Cristianismo".

Hay gente que se une a una iglesia porque simplemente son flojos, quieren que "los misericordiosos hermanos" les resuelvan todos sus problemas. Otros, se bautizan porque alguien en el grupo los animó en el último momento del día de los bautizos. Otros porque sintieron la presión de la familia. Así puedo citar tantos casos con los que me he encontrado al ministrar personas en las iglesias.

En todos estos casos ni el bautismo, ni el engendramiento divinos se llevaron a cabo, fue tan solo un acto religioso. **"No somos engendrados por voluntad de carne".** Es por eso que con el tiempo no ven cambios, ni frutos. Por eso vemos tan poca gente involucrada en la iglesia. Les parece tedioso orar, no saben ni cómo hablar para evangelizar, y cuando se habla de diezmar, buscan cualquier excusa con tal de no dar.

La nueva creación es real, afecta todo nuestro ser, invade nuestra mente y destruye el cuerpo de pecado. Es luz visible y poder de Dios. Es evangelizadora por naturaleza, está llena de vida y de fuego, porque es Dios mismo unido al hombre.

De la misma manera en que Jesús murió y luego salió en resurrección, así es esa nueva vida. Cuando Cristo fue sepultado, sufrió una transformación poderosísima en esa tumba, de tal manera que el que salió del sepulcro era totalmente diferente al que entró en aquella cueva. Ni aún los discípulos lo reconocían.

El mismo Pablo dice refiriéndose a los apóstoles:

"De manera que nosotros de aquí en adelante a nadie conocemos según la carne; y aun si a Cristo conocimos según la carne, ya no lo conocemos así".

2 Corintios 5:16

La nueva creación no es una manifestación de la carne, sino de nuestro espíritu que es transformado por la resurrección.

Una vez engendrado el espíritu empezará un crecimiento interior. Cada parte de nuestro espíritu irá siendo despertada y desarrollada. Una nueva sensibilidad empieza a percibirse. Cosas que antes nos gustaban, de pronto las aborrecemos. Nos sentimos ajenos a ambientes mundanos. Nos molesta oír palabras soeces; y sobre todo aborrecemos pecar y contristar al Espíritu Santo.

La nueva creación anhela las cosas de lo alto, no puede permanecer callada, tiene que contarle a todo el mundo acerca de Jesús, se complace en orar y en dar. Es valiente y ama la justicia, está llena del temor de Dios y de amor hacia el prójimo. Estima todo por basura, a fin de conocer a Jesús y el poder de su resurrección, como decía el Apóstol Pablo.

La resurrección no es únicamente el estado final

de los hijos de Dios cuando seamos levantados de entre los muertos. Es el poder que le da vida a esa nueva creación que ha sido engendrada en nuestro interior.

"Así también está escrito: que fue hecho el primer hombre alma viviente; el postrer Adán espíritu vivificante".
1 Corintios 15:45

El Espíritu de Cristo engendra nuestro espíritu, y éste que estaba muerto, de pronto se llena de vida, es despertado a una realidad espiritual que no conocía, todo en él anhela las cosas de Dios. Esto no es algo hipotético, esta nueva vida tiene que manifestarse.

Sin embargo, esta no es la experiencia de todo el que dice ¡Señor, Señor!

Es por causa de la iniquidad, que el espíritu de millones de personas en la iglesia, aún duerme. Es por esto mismo que muchos sienten como anclas que los detienen para no dar pasos resueltos hacia Dios.

Tienen los ojos vendados para que nos les resplandezca el evangelio de la gloria de Jesucristo y puedan verdaderamente convertirse a Dios.

Están conformes, o tal vez abnegados llevando una vida religiosa; pero no ven en sus propias vidas el poder de Dios. Algunos saben muy bien qué es lo que está mal y otros la verdad no tienen ni idea.

Por eso es que quizás este sea el libro más importante que haya caído en sus manos. Estudiándolo verá e identificará esta terrible escoria que nos ha cubierto a todos y que Dios quiere remover de una vez por todas de nuestras vidas.

En el último capítulo explico cómo poder salir de ella y cómo verdaderamente empezar a gozar de todas las riquezas de la gloria de Dios que provienen de ser engendrados por su Espíritu.

Conclusiones

¿Cómo tratamos la Iniquidad?

Como hemos visto a lo largo del libro, la iniquidad, no es un simple pecado por el que se pueda pedir perdón y se acaba el problema. La iniquidad es todo un cuerpo de pecado y maldad arraigado en nuestro espíritu. La iniquidad ha corrompido toda la estructura de nuestro comportamiento y nuestros pensamientos; y además se ha metido en los huesos y en las entrañas. Desarraigarla toma tiempo y dedicación; pero será la mejor inversión de nuestra vida.

Los frutos de la justicia junto con las promesas y las bendiciones de Dios que por tanto tiempo ha esperado, se manifestarán sobre usted. Un nuevo episodio le espera lleno de grandes alegrías y victorias en Cristo Jesús.

Lo primero que haremos, es pedirle al Espíritu Santo que nos ayude en este maravilloso proceso de liberación. Le pediremos que nos envié un verdadero espíritu de arrepentimiento y de valor para cambiar.

Ahora, haga conmigo esta oración de forma genuina:

"Espíritu Santo, hoy vengo a ti, humillando mi corazón, suplicando de ti que un verdadero espíritu de arrepentimiento venga sobre mí. Abre mis ojos espirituales para que pueda ver mi propia iniquidad. Dame tus dones de revelación, sueños y palabra de ciencia para saber que hicieron mis antecesores, qué está afectando mi vida y qué trae maldiciones y obstáculos que me impiden vivir en la abundancia y en la bendición de Tu Reino".

Lo siguiente que hará es consagrar el momemto de su concepción. En el Reino de Dios y en el mundo invisible no hay tiempo, por lo que podemos enmendar algunas cosas conforme a la voluntad de Dios.

Imagine ahora el pequeño esperma de su padre y el óvulo de su madre que le dieron la vida y ore algo como esto:

"Padre Celestial en este momento yo consagro el esperma de mi padre que me dio la vida, lo declaro limpio por la sangre de Jesucristo y por lo tanto santo y perfecto. Declaro que viene lleno de tu Espíritu y de tu vida. Consagro también el óvulo de mi madre; declaro que es limpio por la sangre de Jesús y lleno de tu Espíritu Santo. Y consagro a tu santo nombre Jehová Dios Todopoderoso el momento de mi concepción. La declaro bendita, llena de propósito eterno, cubierta por tu sangre y por tu mano, que mi vida cumplirá aquello para lo cual fue creada. La rindo a tí desde ese momento y recibo tu ADN con toda la herencia espiritual en tu sangre. En el nombre de Jesucristo, amén".

Tome ahora un cuaderno y anote todo lo que el Señor le recuerde o le muestre.

Ahora vamos a revisar una lista de todo lo que la Biblia menciona como iniquidad y oraremos uno a uno sobre todos estos pecados. Tome un momento al ir recorriendo la lista, esperando que el Espíritu traiga convicción, memorias o revelación. Después confiese su iniquidad y la iniquidad de sus antecesores. Lo más seguro es que usted haya cometido los mismos pecados que ellos, ya que esto está grabado en su propia herencia espiritual.

Empecemos por Isaías 59, el capítulo de la iniquidad por excelencia:

• **Manos contaminadas de sangre:** Homicidios, sacrificios de sangre (animal o humana), amor o participación en corridas de toros ofrecidas a vírgenes o ídolos, abortos, guerras, genocidio por conquistas de naciones.

• **Labios que pronuncian mentira**: Religiosidad, prácticas religiosas paganas, hipocresía y todo tipo de fraude o engaño.

• **Maldad de la lengua:** Calumnia, chisme, maledicencia, lengua satírica, lengua venenosa, falso testimonio y murmuración.

• **Falta de clamor por justicia**: Indolencia ante el mal ajeno, indolencia ante el pecado de la ciudades, indolencia ante el pecado de la iglesia.
Podemos hacer el bien y no lo hacemos.

• **El juzgar sin la verdad:** Hacer juicios arrebatados, favorecer a los que amamos o a los que nos conviene. Favoritismo de ricos sobre pobres. Racismo.

• **Confiar en vanidad y hablar vanidad**: Confiar en las riquezas, en el sistema de este mundo. Poner nuestra confianza en el hombre, en la medicina, en el salario, en los seguros de este mundo y hablar de ello.

• **Pensamientos de iniquidad:** Venganza, tramar lo malo, boicot de la obra de Dios. Todo pensamiento en el que se maquine hacer mal a alguien. Resentimiento y amargura.

• **Caminar sin justicia, por veredas torcidas:** Confiar en nuestra justicia antes que la de Dios. Tomar el Señorío de nuestras vidas. Colocar nuestras decisiones por encima de las de Dios. Todo camino que no conduce a la justicia, a la voluntad y a la paz de Dios, está torcido. No cumplir con un compromiso, un voto o una promesa, y que esto cause daño a otros.

• **Rebelión ante Dios y sus estatutos.**

• **Apartarse de Dios:** Confiar en dioses ajenos, idolatría, ocultismo, hechicería, adivinación, nueva era, satanismo, espiritismo, sectarismo.

Lista que se encuentra en los Diez Mandamientos

Éxodo 20:1-17 (Excluyo los ya mencionados):

• **Blasfemar el nombre Dios en vano:** Jurar por su nombre, usarlo sin respeto como exclamaciones del lenguaje. Contar chistes usando Su nombre.

• **No reposar:** Si bien el cristiano no judío, no está obligado a guardar el sábado. Reposar en Dios es un requisito en cuanto a vivir confiados en Él; pero también el no reposar nuestros cuerpos transgrede una ley natural de vida. El estrés y la ansiedad son iniquidad.

• **No honrar Padre y Madre:** Falta de respeto a la autoridad. Hablar mal de ellos. No tratarlos con dignidad y amor.

• **Cometer adulterio:** Fornicación, pornografía, perversión sexual, uso inapropiado en contra de la naturaleza del cuerpo y del cónyuge y todo tipo de aberración sexual. Inmundicia, lascivia, orgías, impureza, pasiones desordenadas. Incesto.

• **Hurtar:** Defraudar, cambiar los límites de una propiedad con intención de robo. Adulterar la medida, pagar salarios injustos, evasión de impuestos.

• **Codiciar:** Codiciar la mujer del prójimo, sus siervos o sus bienes.

Lista que se encuentra en Gálatas 5
(Excluyo los ya mencionados)

● **Contiendas:** Violencia verbal o física, pleitos, enemistades, celos, iras, disensiones, enojos, sembrar discordia, divisiones.

● **Herejías:** Cambiar el contexto de la Palabra. Tergiversar la Escritura para controlar o dominar gente para intimidación. Usar la Palabra para obtener ganancias deshonestas. Acomodarla para justificar el pecado y la falta de integridad.

● **Adicción:** Adicción a cualquier droga, tabaquismo, alcoholismo.

● **Envidia.** Malos deseos.

Lista en Colosenses 3
(Excluyo los ya mencionados)

● **Avaricia:** Confianza en la riqueza. Indolencia ante la necesidad de los pobres o de la obra de Dios. Idolatría a los bienes de este mundo (Posesiones que puedan ser "intocables").

● **Amor a lo terrenal.**

- **Desobediencia:** Contra Dios, su Palabra, su la autoridad. Falta de sujeción. Espíritu rebelde e independiente.

Lista en 2 Timoteo 3

- **Amor a sí mismo:** Amor al "yo", vanagloria, soberbia, altivez.

- **Despotismo:** Jactancia, considerarse superior a los demás. Infatuamiento.

- **Ingratitud:** Sentirnos dueños de lo que poseemos sin saber que todo le pertenece a Dios. No vivir agradecidos y acorde a lo que Jesús hizo por nosotros.

- **Falta de afecto natural:** Egoísmo.

- **Ser implacables:** Sin contentamiento, jamás saciados con el bien que Dios nos da.

- **Intemperancia y carencia de misericordia.**

- **Crueldad:** Sadismo, masoquismo. Crueldad mental y verbal.

- **Traición:** Deslealtad.

- **Amar los deleites más que a Dios.**

• **Corrupción:** Cohecho.

Otros pecados

• **Comer sangre o ahogado:** Comer embutidos hechos de sangre o comer animales no desangrados.

• **Tentar a Dios:** Criticar a Dios, acusarlo.

• **Comer lo sacrificado a los ídolos:** Participar de fiestas paganas en las que se comen alimentos dedicados a los dioses, tales como las fiestas a los muertos, santos vírgenes o Halloween.

• **Profanar lo sagrado:** Profanar nuestros cuerpos. Tatuajes, perforaciones en el cuerpo.

• **Prostitución:** Venderse por dinero, vender principios por riqueza.

• **Divorcios:** (No justificados por causa de fornicación o maltrato).

• **Homosexualismo:** Bisexualismo.

• **Depravación sexual:** Zoofilia (sexo con animales), pedofilia (sexo con niños), necrofilia (sexo con muertos).

- **Incredulidad:** Corazones desconfiados. Doble ánimo, pesimismo. Buscar siempre la falla.

- **Miedo:** Falta de fe.

- **Olvidarse de los pobres y las viudas.**

- **Falta de temor a Dios.**

- **Usura:** Obtener una ganancia, fruto u utilidad indebida o aprovecharse del que pide prestado.

He tratado de hacer esta lista lo más extensa posible para procurar una mejor liberación. No hay nada más maravilloso que salir de un enigma y encontrar el estorbo en mi caminar con Dios para cancelarlo y ser libre.

Como ha sido mi consejo en capítulos anteriores, a veces será necesario hacer listas detalladas y minuciosas. Ahora bien, esto no es un requisito para nuestra salvación, si lo es para nuestra total libertad y nuestra total bendición.

Una vez que pidió perdón en forma específica, por todo en lo que nos hayamos identificado, entonces hay que ordenar que sea desarraigada toda la iniquidad de nuestro espíritu y de nuestra alma.

Luego hay que ordenar que la sustancia física que produjo la iniquidad y que se alojó en los huesos y órganos, salga.

Como estos son líquidos literales, saldrán del cuerpo a través de diarreas, vómitos, abundancia de orina, flemas y mucosidad a manera de resfriado. Todo esto es perfectamente natural y debe salir de esta forma.

Conviene al ordenar la salida de estas sustancias tocarse uno mismo todas las coyunturas y poner nuestras manos sobre nuestras diferentes partes del cuerpo. Si hay alguien lleno del Espíritu Santo que le pueda ayudar, dígale que ponga sus manos en cada unión de vértebras en su espalda mientras ordena la salida de la iniquidad.

Esta oración puede ser algo semejante a esto:

"Señor te pido perdón por mi iniquidad y la iniquidad de todos mis antecesores. Hemos pecado en contra de ti, pero hoy yo me arrepiento por toda mi línea generacional porque hemos cometido... tal y tal pecado. Te pido que nos perdones y me limpies. Purga de mi espíritu, de mi alma y de mi cuerpo toda esta iniquidad".

Ahora ordeno que toda iniquidad asilada en mis huesos y en mis entrañas busque su salida ahora mismo. **"¡Iniquidad, sal de mis huesos y de mis entrañas en el nombre de Jesús!"** Haga esto hasta que se manifieste que ha salido. A veces tarda unas horas o un día entero en lo que sale todo.

Es posible que experimente un poco de fatiga. Es totalmente normal y rápidamente se recuperará. Una vez hecho esto, proceda a cancelar las maldiciones que se hayan adherido a la iniquidad en su vida.

Ahora ha quedado listo para que la Justicia de Dios se establezca sobre su vida y con ella todas las bendiciones de Dios.

Oración Final

"Padre yo te pido que conforme a tu misericordia, tu justicia y tu verdad establezcas sobre mi hermano (a) tu Justicia divina. Que a partir de hoy el (ella) quede establecido como Justo, primeramente por tu sacrificio vicario y segundo por cuanto se ha apartado de la iniquidad para seguir tu Reino. Yo declaro sobre el (ella) que todas tus bendiciones y tu bien vendrán a él (ella) y le alcanzarán y que tu misericordia reposará sobre sus generaciones".

"Y temerán desde el occidente el nombre de Jehová, y desde el nacimiento del sol Su gloria; porque vendrá el enemigo como río, mas el Espíritu de Jehová levantará bandera contra él. Y vendrá el Redentor a Sion, y a los *que se volvieren de la iniquidad en Jacob, dice Jehová: y este será mi pacto con ellos, dijo Jehová: El Espíritu mío que está sobre ti, y mis palabras que puse en tu boca, no faltarán de tu boca, ni de la boca de tus hijos, ni de la boca de los hijos de tus hijos, dijo Jehová desde ahora y para siempre".*

Isaías 59:19-21

Bibliografía

- Méndez Ferrell, Ana: "Regiones de Cautividad", Voice of The Light Ministries, 3ª Edición, 2008, pp. 224.

- Méndez Ferrell, Ana: "El Oscuro Secreto de G.A.D.U", Voice of The Light Ministries, 1ª Edición, 2009, pp. 232.

- Eckhardt, John: "Identifing & Breaking Curses", Whitaker House, 2000, pp. 63.

- Watchman Nee: "El Hombre Espiritual", Análisis del Espíritu, Tomo II, Living Stream Ministry, 2001, pp. 747.

- Méndez Ferrell, Ana: "Sentados en Lugares Celestiales", Voice of The Light Ministries, 5ª Edición, 2002, pp. 225.

Otros libros recomendados

La Revelación del mundo espiritual, la forma más poderosa de ser liberado.

Una investigación que descubre todas las mentiras y horrores cometidas por la Masonería.

Imagínate completamente libre del miedo, la enfermedad y la muerte.

Descubre cómo vivir en Salud Divina entendiendo cómo opera los fármacología en tu salud.

www.AnaMendezFerrell.com

Ana Méndez Ferrell, Inc.

Visita nuestro nuevo sitio

www.AnaMendezFerrell.com

Escribe a: Ana Méndez Ferrell, Inc.
P. O. Box 141
Ponte Vedra, FL 32004-0141
Estados Unidos de América

Email: store@anamendezferrell.com

Encuéntranos en **FACEBOOK** o síguenos en **TWITTER**

www.facebook.com/AnaMendezFerrell-ES

www.twitter.com/AnaMendezF.